Ein Flirt, der durch ein Handy zerstört wird, ein Mann, der nicht mehr fremdgeht, weil die Alimente jetzt so teuer würden, und einst Liebende, die sich erst wiedersehen, als es schon zu spät ist. Anna Gavalda ist nichts Menschliches fremd, am wenigsten die Liebe. Sie beherrscht das Komische wie das ernste Register und trifft dabei stets den richtigen Ton. Ihre Chronik des Alltags ist erheiternd und erbarmungslos zugleich: unser Leben, auf den Punkt gebracht.

»Ein weiblicher Sempé.« *Le Figaro*

»Voilà, hier ist die neue Stimme der französischen Literatur: Sie schreibt so leicht und lakonisch, romantisch zart und bestürzend direkt, daß einem fast schwindelig wird. *Marie-Claire*

Anna Gavalda, Jahrgang 1970, ist auf dem Land aufgewachsen, hat in Paris Literatur studiert und arbeitete als Französischlehrerin. Sie veröffentlichte ihr erstes Buch in einem kleinen Pariser Verlag und avancierte damit zum Star der französischen Literaturszene. ›Ich wünsche mir, daß irgendwo jemand auf mich wartet‹ wurde in Frankreich zum Kultbuch und stand monatelang auf allen französischen Bestsellerlisten.

Anna Gavalda lebt mit ihren beiden Kindern in der Nähe von Paris, liebt Bücher und hat keinen Fernseher.

Von Anna Gavalda erschienen außerdem ›Ich habe sie geliebt‹ (Bd. 15803) und ›Zusammen ist man weniger allein‹ (Bd. 17303) im Fischer Taschenbuch Verlag.

Unsere Adresse im Internet: www.fischerverlage.de

Anna Gavalda

Ich wünsche mir, daß irgendwo jemand auf mich wartet

Erzählungen

Aus dem Französischen von
Ina Kronenberger

Fischer Taschenbuch Verlag

9. Auflage: Oktober 2007

Veröffentlicht im Fischer Taschenbuch Verlag,
einem Unternehmen der S. Fischer Verlag GmbH,
Frankfurt am Main, November 2003

Lizenzausgabe mit freundlicher Genehmigung des
Carl Hanser Verlags, München Wien
Die Originalausgabe erschien unter dem Titel
»Je voudrais que quelqu'un m'attende quelque part« bei
Le Dilettante, Paris 1999
© 1999 by Le Dilettante
Für die deutsche Ausgabe:
© 2002 Carl Hanser Verlag München Wien
Druck und Bindung: Clausen & Bosse, Leck
Printed in Germany
ISBN 978-3-596-15802-7

Für meine Schwester Marianne

Inhalt

Kleine Praktiken aus Saint-Germain

Saint-Germain!? Ich weiß, was Sie sagen werden: »Mein Gott, wie banal, meine Liebe, Sagan hat das lange vor dir gemacht und sooooviel besser!«

Ich weiß.

Aber was soll ich machen – ich bin nicht sicher, ob mir das Ganze auf dem Boulevard de Clichy passiert wäre, so einfach ist das. C'est la vie.

Doch behalten Sie Ihre Bemerkungen für sich, und hören Sie mir lieber zu, mein Gefühl sagt mir nämlich, daß die Geschichte Sie zum Schmunzeln bringen wird.

Sie lieben doch Herz-Schmerz-Geschichten. Wenn man Ihnen ans Herz rührt mit vielversprechenden Festen und Männern, die den Eindruck machen, sie seien Junggesellen und ein bißchen unglücklich.

Ich weiß, daß Sie das lieben. Das ist normal, aber Sie können nun einmal keine Groschenromane lesen, wenn Sie bei Lipp oder im Deux-Magots sitzen. Natürlich nicht, das geht nicht.

Also, heute morgen bin ich auf dem Boulevard Saint-Germain einem Mann begegnet.

Ich ging den Boulevard hinauf und er hinunter. Wir befanden uns auf der geraden Seite, der eleganteren.

Ich habe ihn von weitem kommen sehen. Ich weiß nicht, warum, vielleicht sein etwas lässiger Gang, der Mantel, der ihn elegant umwehte –. Kurz und gut, ich war zwanzig Meter von ihm entfernt und wußte, daß ich ihn mir angeln würde.

Und es hat geklappt, als er auf gleicher Höhe mit mir ist, merke ich, wie er mich ansieht. Ich werfe ihm ein schelmisches Lächeln zu, à la Cupido-Pfeil, nur ein bißchen zurückhaltender.

Er lächelt zurück.

Während ich meinen Weg fortsetze, lächele ich vor mich hin und denke an das Gedicht, das Baudelaire *Einer Vorübergehenden* gewidmet hat (schon bei Sagan vorhin werden Sie gemerkt haben, daß ich aus einem literarischen Fundus schöpfen kann, wie es so schön heißt!!!). Ich laufe weniger schnell, denn ich versuche mich zu erinnern ... *Gross schmal in tiefer trauer* ... danach weiß ich nicht weiter – dann ... *Erschien ein weib, ihr finger gravitätisch Erhob und wiegte kleidbesatz und saum* ... und am Schluß ... *Dich hätte ich geliebt, dich die's erkannt.*

Das macht mich jedesmal völlig fertig.

Und die ganze Zeit über, göttliche Arglosigkeit, spüre ich noch immer den Blick meines heiligen Sebastian (He, Anspielung an den Pfeil! Daß Sie mir ja mitkommen!?) im Rücken. Das wärmt mir auf angenehmste Weise die Schulterblätter, doch lieber sterben, als mich umdrehen, dann wäre das Gedicht dahin.

Ich bin an der Bordsteinkante stehengeblieben und habe den Verkehrsstrom beobachtet, um auf Höhe der Rue des Saint-Pères die Straße zu überqueren.

Hinweis: Eine Pariserin, die etwas auf sich hält, überquert den Boulevard Saint-Germain niemals zwischen den weißen Linien an der Ampel. Eine Pariserin, die etwas auf sich hält, beobachtet den Verkehr und wirft sich zwischen die Autos, wohl wissend, daß sie ihr Leben riskiert.

Sterben für die Schaufensterauslagen von Paule Ka. Herrlich.

Ich will mich gerade in den Strom werfen, da hält mich eine Stimme zurück. Ich werde Ihnen zuliebe jetzt nicht von einer »warmen, männlichen Stimme« sprechen, denn das war nicht der Fall. Eine Stimme, sonst nichts.

»Pardon«

Ich drehe mich um. Und wer steht vor mir? – meine kleine Beute von eben.

Ich kann es Ihnen im Grunde auch gleich sagen, von diesem Moment an ist es für Baudelaire gelaufen.

»Ich habe mich gerade gefragt, ob Sie heute abend mit mir essen gehen würden?«

Bei mir denke ich »Wie romantisch«, aber ich antworte:

»Das geht ja wohl ein bißchen schnell, oder?«

Wie aus der Pistole geschossen kommt die Antwort, und ich schwöre Ihnen, daß ich die Wahrheit sage:

»Da gebe ich Ihnen recht, es geht ein bißchen schnell. Aber als ich gesehen habe, wie Sie verschwinden, habe ich gedacht: Das darf doch nicht wahr sein, da begegne ich auf der Straße einer Frau, ich lächele ihr zu, sie lächelt mir zu, wir streifen uns im Vorbeigehen und werden uns aus den Augen verlieren … Das darf einfach nicht wahr sein, nein wirklich, das wäre vollkommen absurd.«

»…«

»Was meinen Sie? Finden Sie das völlig bescheuert?«

»Nein, nein, keineswegs.«

Ich fing an, mich plötzlich weniger wohl zu fühlen.

»Nun? Was sagen Sie? Hier an dieser Stelle, heute abend um neun, genau hier?«

Reiß dich am Riemen, Mädchen, wenn du mit allen Männern zu Abend ißt, denen du zulächelst, dann gute Nacht!

11

»Nennen Sie mir einen einzigen Grund, weshalb ich Ihre Einladung annehmen sollte.«

»Einen einzigen Grund – mein Gott ist das schwierig.«

Ich sehe ihn an, belustigt.

Dann ergreift er ohne Vorwarnung meine Hand:

»Ich glaube, ich habe einen einigermaßen akzeptablen Grund gefunden.«

Er führt meine Hand über seine unrasierte Wange.

»Einen einzigen Grund. Hier ist er: Sagen Sie ja, damit ich eine Veranlassung habe, mich zu rasieren. Wirklich, ich glaube, ich sehe sehr viel besser aus, wenn ich rasiert bin.«

Und er gibt mir meinen Arm zurück.

»Ja«, sage ich.

»Das ist fein! Lassen Sie uns die Straße gemeinsam überqueren, bitte, ich möchte Sie jetzt nicht mehr verlieren.«

Dieses Mal sehe ich *ihm* hinterher, wie er in die entgegengesetzte Richtung verschwindet, er wird sich die Hände reiben, als hätte er gerade einen guten Deal gemacht.

Ich bin sicher, daß er total zufrieden mit sich ist. Er hat allen Grund dazu.

Später Nachmittag, ein bißchen nervös, muß ich zugeben.

Bin über meine eigenen Beine gestolpert und weiß jetzt nicht, was ich anziehen soll. Schutzkleidung wäre naheliegend.

Ein bißchen nervös wie eine Anfängerin, die weiß, daß ihre Fönfrisur danebengegangen ist.

Ein bißchen nervös, wie auf der Schwelle zu einer Liebesgeschichte.

Ich arbeite, ich gehe ans Telefon, ich verschicke Faxe, ich mache das Layout für den Illustrator fertig (Halt, na klar – Ein hübsches und lebhaftes Mädchen, das in der Gegend von Saint-Germain Faxe verschickt, arbeitet in einem Verlag, na klar.)

Meine Fingerspitzen sind eiskalt, und ich muß mir alles wiederholen lassen, was die Leute mir sagen.

Durchatmen, Mädchen, tief durchatmen …

In der abendlichen Dämmerung ist der Boulevard zur Ruhe gekommen, und die Autos fahren mit Standlicht.

Die Cafétische werden hereingeholt, die Leute warten auf dem Kirchplatz auf ihre Verabredung, andere stehen am Beauregard Schlange, um den letzten Woody Allen zu sehen.

Ich kann unmöglich als erste kommen (das schickt sich nicht). Nein. Ich werde lieber ein wenig zu spät kommen. Ihn ein bißchen auf mich warten lassen, das ist besser.

Zur Stärkung werde ich mir einen kleinen Drink genehmigen, damit meine Finger wieder richtig durchblutet werden.

Nicht im Deux-Magots, dort ist das Publikum am Abend ein bißchen provinziell, dort sitzen nur dicke Amerikanerinnen, die dem Geist von Simone de Beauvoir nachjagen. Ich gehe in die Rue Saint-Benoît. Das Chiquito ist genau der richtige Ort.

Ich stoße die Tür auf, und sofort ist er da: der Geruch nach Bier, vermischt mit dem nach kaltem Zigarettenrauch, das Dingdingding des Flippers, die thronende Wirtin mit den gefärbten Haaren und einer Nylonbluse, die den Blick auf einen BH mit dicken Bügeln freigibt, das abendliche Pferderennen von Vincennes im Hintergrund, ein paar Maurer in ihren fleckigen Arbeitshosen, die die Stunde der Einsamkeit oder die Zeit mit der Alten noch ein wenig hinauszögern

13

wollen, und ein paar alte Stammgäste mit gelben Fingern, die allen auf den Geist gehen mit ihren Mietpreisen von 48. Das Glück.

Die Typen am Tresen drehen sich von Zeit zu Zeit um und prusten los wie Schuljungen. Meine Beine stehen im Mittelgang und sind sehr lang. Der Gang ist ziemlich schmal und mein Rock sehr kurz. Ich sehe ihre gebeugten Rücken, die vor Lachsalven erzittern.

Ich rauche eine Zigarette und blase den Rauch weit von mir. Mein Blick schweift in die Ferne. Ich weiß jetzt, daß *Beautiful Day* das Rennen gemacht hat, zehn zu eins in der Zielgeraden.

Mir fällt ein, daß ich *Kennedy et moi* in der Tasche habe, und ich frage mich, ob ich nicht besser daran täte hierzubleiben.
   Eine Portion Linsen mit gepökeltem Schweinefleisch und eine halbe Karaffe Rosé – Wie ginge es mir gut.
   Aber ich reiße mich wieder am Riemen. Schließlich stehen Sie hinter mir, sehen mir über die Schulter und hoffen auf die Liebe (auf weniger? oder mehr? oder beinahe?) mit mir, und ich werde Sie nicht mit der Wirtin des Chiquito im Stich lassen. Das wäre echt hart.
   Ich gehe mit rosigen Wangen nach draußen, und die Kälte schlägt mir gegen die Beine.

Er ist da, an der Ecke zur Rue des Saint-Pères, er wartet auf mich, er sieht mich, er kommt auf mich zu.
   »Ich hatte schon richtige Angst. Ich hatte geglaubt, Sie kämen nicht. Ich habe mein Spiegelbild in einem Schaufenster gesehen, habe meine glatten Wangen bewundert und Angst bekommen.«

»Tut mir leid. Ich habe auf das Ergebnis von Vincennes gewartet und dabei die Zeit vergessen.«

»Wer hat gewonnen?«

»Spielen Sie?«

»Nein.«

»*Beautiful Day* hat gewonnen.«

»Na klar, hätte ich mir denken können«, er lächelt und nimmt mich am Arm.

Schweigend gehen wir zur Rue Saint-Jacques. Von Zeit zu Zeit wirft er mir einen verstohlenen Blick zu, studiert mein Profil, aber ich weiß, daß er sich in dem Moment eher fragt, ob ich Strumpfhosen trage oder Strümpfe.

Geduld, mein Lieber, Geduld …

»Ich werde Sie in ein Lokal führen, das mir gefällt.«

Ich sehe schon – so eins mit unbefangenen, aber diensteifrigen Kellnern, die ihm verschwörerisch zulächeln:

»Bosswaaa, Monsieur (das ist jetzt die Neueste – na ja, die Brünette vom letzten Mal hat mir besser gefallen), der kleine Tisch ganz hinten, wie immer, Monsieur? Kleine Verbeugungen (Mensch, wo liest er bloß die ganzen Puppen auf?) Darf ich Ihre Mäntel nehmen??? Très biiiiiien.«

Er liest sie auf der Straße auf, du Schwachkopf.

Doch weit gefehlt.

Er ließ mich vorgehen und hielt die Tür zu einem kleinen Bistro auf, ein resignierter Kellner fragte nur, ob wir rauchen. Mehr nicht.

Er hängte unsere Sachen an die Garderobe und an der halben Sekunde, die er zögerte, als er mein zartes Dekolleté erblickte, wußte ich, daß er die kleine Schnittwunde nicht bereute, die er sich vorhin beim Rasieren zugefügt hatte, als seine Hände ihm einen Streich spielten.

Aus dicken bauchigen Gläsern haben wir hervorragenden

15

Wein getrunken. Haben ziemlich leckere Sachen gegessen, bestens darauf abgestimmt, das Aroma unseres Nektars nicht zu verderben.

Eine Flasche Burgunder, Côtes de Nuits, ein Gevrey-Chambertin 1986. O Jesulein zart.

Der Mann mir gegenüber trinkt mit zusammengekniffenen Augen.

Ich kenne ihn jetzt besser.

Er trägt einen Rollkragenpullover aus grauem Kaschmir. Einen alten Rollkragenpullover. Mit Flicken am Ellbogen und einem kleinen Riß am rechten Handgelenk. Ein Geschenk zum zwanzigsten Geburtstag vielleicht. Seine Mutter, die wegen seiner enttäuschten Miene ein wenig gekränkt ist, sagt zu ihm: »Wirst schon sehen, du wirst es nicht bereuen«, und sie küßt ihn zum Abschied und streicht ihm mit der Hand über den Rücken.

Eine sehr unauffällige Weste, die nach einer stinknormalen Tweedweste aussieht, die aber, was meinen Luchsaugen nicht entgeht, maßgeschneidert ist. Von Old England, die Etiketten sind größer, wenn die Ware direkt aus den Pariser Nähstuben stammt, und ich habe das Etikett gesehen, als er sich gebückt hat, um seine Serviette aufzuheben.

Seine Serviette, die er absichtlich hatte fallen lassen, um sich Gewißheit wegen der Strümpfe zu verschaffen, denke ich mir.

Er erzählt mir von allen möglichen Dingen, doch niemals von sich. Er hat stets etwas Mühe, den Faden der Geschichte wiederzufinden, wenn ich die Hand auf meinen Hals lege. Er sagt: »Und Sie?« Und auch ich erzähle ihm nichts über mich.

Während wir auf das Dessert warten, berührt mein Fuß seinen Knöchel.

Er legt seine Hand auf meine und zieht sie schnell zurück, als die Sorbets kommen.

Er sagt etwas, aber seine Worte dringen nicht zu mir vor. Wir sind sehr bewegt.

Wie schrecklich. Gerade hat sein Handy geklingelt.

Wie auf Kommando richten sich alle Blicke auf ihn, und er stellt es hastig aus. Eben hat er sicher eine Menge gute Weine verdorben. Schlucke sind in wütenden Kehlen stekkengeblieben. Leute haben sich verschluckt, Finger haben sich um die Griffe der Messer gelegt oder die Falten der gestärkten Servietten umklammert.

Diese verfluchten Dinger, irgendeiner hat immer eins, egal wo, egal wann.

So ein Rüpel.

Er ist verlegen. Ihm ist plötzlich ein wenig warm in dem Kaschmirpulli von seiner Mama.

Er nickt dem einen oder anderen zu, als wollte er seine Bestürzung zum Ausdruck bringen. Er sieht mich an, und seine Schultern sind leicht zusammengesackt.

»Es tut mir leid.« Er lächelt mich wieder an, weniger kampflustig jetzt, könnte man meinen.

Ich sage:

»Ist nicht so schlimm. Wir sind ja nicht im Kino. Eines Tages werde ich jemanden umbringen. Einen Mann oder eine Frau, die während der Vorstellung im Kino ans Telefon gegangen sind. Und wenn Sie über diesen Fall in der Zeitung lesen, werden Sie wissen, daß ich es war ...«

»Ganz bestimmt.«

»Lesen Sie die Rubrik Verschiedenes?«

»Nein. Aber ich werde damit anfangen, denn nur so habe ich die Chance, Sie dort zu finden.«

Die Sorbets waren, wie soll ich sagen, köstlich.

Zum Kaffee hat sich mein charmanter Prinz neben mich gesetzt, gestärkt.

So dicht, daß er jetzt Gewißheit hat. Ich trage Strümpfe. Er hat die kleinen Häkchen an meinen Oberschenkeln gespürt.

Ich weiß, daß er in diesem Augenblick nicht mehr weiß, wo er wohnt.

Er hebt meine Haare hoch und küßt meinen Nacken, in der kleinen Mulde.

Er flüstert mir ins Ohr, er liebe den Boulevard Saint-Germain, er liebe Burgunder und Sorbets an Cassis.

Ich küsse seine kleine Schnittwunde. Auf diesen Moment habe ich von Anfang an hingearbeitet.

Der Kaffee, die Rechnung, das Trinkgeld, unsere Mäntel, das alles sind nur noch Details, Details, Details. Details, in denen wir uns verfangen.

In unserem Brustkorb pocht es wie wild.

Er hält mir meinen schwarzen Mantel hin und da …

Ich bewundere das Werk des Künstlers, Hut ab, sehr unauffällig, fast unmerklich, bestens berechnet und überaus geschickt macht er das: Während er ihn auf meine nackten, gefälligen und seidenweichen Schultern legt, findet er die notwendige halbe Sekunde und die perfekte Kopfneigung zur Innentasche seiner Weste, um einen Blick auf das Display seines Handys zu werfen.

Mein Kopf ist wieder klar. Mit einem Schlag.

Verräter.

Undankbarer Kerl.

Unglücklicher, was hast du getan!!!

Wo warst du mit deinen Gedanken, als meine Schultern ganz rund, ganz warm waren und deine Hand ganz nah!?

Was schien dir wichtiger als meine Brüste, die sich deinem Blick darboten?

Wovon hast du dich ablenken lassen, während ich deinen Atem in meinem Rücken erwartete?

Hättest du deinen verfluchten Apparat nicht erst befingern können, nachdem du mit mir geschlafen hast?

Ich knöpfe meinen Mantel bis oben zu.

Auf der Straße ist mir kalt, ich bin müde, und mir ist übel.

Ich bitte ihn, mich bis zum nächsten Taxistand zu begleiten.

Er ist geknickt.

Ruf S.O.S., mein Junge, du hast alles, was du brauchst.

Aber nein. Er bleibt stoisch.

Als wäre nichts passiert: Ich bringe nur eine gute Freundin zum Taxi, reibe ihr die Arme, um sie aufzuwärmen, und plaudere über die Pariser Nacht.

Er hat echt Stil, durch und durch, das muß man ihm lassen.

Bevor ich in einen schwarzen Mercedes steige, der in Val-de-Marne zugelassen ist, sagt er:

Aber wir werden uns doch wiedersehen, nicht wahr? Ich weiß nicht einmal, wo Sie wohnen. Lassen Sie mir etwas da, eine Adresse, eine Telefonnummer –

Er reißt ein Stück Papier aus seinem Terminkalender und kritzelt ein paar Zahlen darauf.

»Hier. Das erste ist meine Nummer zu Hause, das zweite mein Handy, da können Sie mich jederzeit erreichen.«

Das hatte ich begriffen.

»Vor allem, nur keine Scheu, wann immer Sie wollen, okay? Ich erwarte Ihren Anruf.«

Ich bitte den Fahrer, mich am Ende des Boulevards abzusetzen, ich brauche Bewegung.

Ich kicke nicht vorhandene Konservendosen über die Straße.

Ich hasse Handys, ich hasse Sagan, ich hasse Baudelaire und diese ganzen Scharlatane.

Ich hasse meinen Stolz.

Ungewollter Schwangerschaftsabbruch

Sie sind so bescheuert, diese Frauen, die ein Kind wollen. So bescheuert.

Kaum haben sie erfahren, daß sie schwanger sind, machen sie die Schleusentore auf: Liebe, Liebe, Liebe.

Danach machen sie sie nie wieder zu.

Bescheuert.

Sie ist genau wie alle anderen. Sie glaubt, sie sei schwanger. Sie nimmt es an. Stellt es sich vor. Ist noch nicht ganz sicher, aber fast.

Sie wartet noch ein paar Tage. Um zu sehen.

Sie weiß, daß ein Schwangerschaftstest aus der Apotheke, Marke Predictor, 59 Franc kostet. Sie weiß es noch vom ersten Kind.

Sie sagt sich: Ich warte noch zwei Tage, dann mache ich den Test.

Natürlich wartet sie nicht. Sie überlegt: Was sind schon 59 Franc, wo ich vielleicht, vielleicht schwanger bin? Was sind schon 59 Franc, wo ich es in zwei Minuten wissen kann?

59 Franc, um endlich die Schleusentore aufzumachen, weil sie schon zu bersten drohen, es kocht und brodelt dahinter, und sie bekommt leichte Bauchschmerzen.

Sie rennt zur Apotheke. Nicht zu ihrer normalen Apotheke, sondern zu einer Apotheke etwas weiter weg, wo man sie nicht kennt. Sie versucht, locker und lässig auszusehen, einen Schwangerschaftstest, bitte, aber ihr Herz schlägt schon schneller.

Sie kehrt nach Hause zurück und wartet. Sie zögert die Freude hinaus. Der Test ist da, in ihrer Tasche auf der Anrichte in der Diele, und sie ist ein wenig aufgeregt. Sie hat die Situation im Griff. Sie legt Wäsche zusammen. Sie geht zum Hort, um ihr Kind abzuholen. Sie unterhält sich mit den anderen Müttern. Sie lacht. Sie ist gutgelaunt.

Sie bestreicht etwas Brot mit Butter für das Kind. Sie gibt sich Mühe. Sie leckt den Marmeladenlöffel ab. Sie kann es nicht lassen, ihr Kind zu küssen. Überall. Im Nacken. Auf die Wangen. Auf den Kopf.

Es sagt, hör auf, Mama, laß mich in Ruhe.

Sie setzt es vor eine Kiste mit Legosteinen und bleibt noch ein wenig in seiner Nähe.

Sie geht die Treppe hinunter. Sie versucht, nicht an ihre Tasche zu denken, aber es gelingt ihr nicht. Sie bleibt stehen. Sie nimmt den Test in die Hand.

Sie versucht, die Verpackung zu öffnen, und verliert die Geduld. Sie reißt sie mit den Zähnen auf. Die Gebrauchsanweisung wird sie später lesen. Sie pinkelt auf das Ding. Steckt es in die Kappe zurück, wie man einen Kugelschreiber verschließt. Sie behält es in der Hand, es ist ganz warm.

Sie legt es irgendwo ab.

Sie liest die Gebrauchsanweisung. Man soll vier Minuten warten und dann auf die kleinen Felder schauen. Wenn sich die beiden Felder rosa färben, dann ist Ihr Urin voller HCG (Human-Chorion-Gonadotropin), Madame, wenn sich die beiden Felder rosa färben, dann, Madame, sind Sie schwanger. Wie lang vier Minuten sind. Sie trinkt in der Zwischenzeit einen Tee.

Sie stellt die Eieruhr in der Küche. Vier Minuten – So, jetzt.

Sie spielt nicht an dem Teststab herum. Sie verbrennt sich die Lippen an ihrem Tee.

Sie betrachtet die Risse in der Wand und überlegt, was sie wohl heute abend kochen wird.

Sie wartet die vier Minuten nicht ab, das ist auch nicht nötig. Man kann das Ergebnis schon erkennen. Sie ist schwanger.

Sie hat es gewußt.

Sie versteckt den Teststab ganz unten im Mülleimer. Sie deckt ihn sorgfältig mit leeren Verpackungen zu. Denn im Augenblick ist es ihr Geheimnis.

Es geht ihr besser.

Sie atmet tief ein, atmet aus. Sie hat es gewußt.

Sie hatte nur sichergehen wollen. Es ist soweit: Die Schleusen sind geöffnet. Jetzt kann sie an andere Dinge denken.

Sie wird nie wieder an andere Dinge denken.

Sehen Sie sich eine schwangere Frau an: Sie glauben, daß sie die Straße überquert oder arbeitet oder sogar mit Ihnen spricht. Weit gefehlt. Sie denkt an ihr Kind.

Sie wird es nicht zugeben, aber es vergeht keine einzige Minute in den neun Monaten, in denen sie nicht an ihr Kind denkt.

Okay, sie hört Ihnen vielleicht zu, aber sie hört nicht richtig hin. Sie nickt mit dem Kopf, aber in Wahrheit ist ihr alles scheißegal.

Sie stellt es sich vor. Fünf Millimeter: ein Weizenkorn. Ein Zentimeter: eine kleine Muschel. Fünf Zentimeter: der Radiergummi auf ihrem Schreibtisch. Zwanzig Zentimeter und viereinhalb Monate: ihre gespreizte Hand.

Es ist nichts da. Man sieht nichts, und doch berührt sie häufig ihren Bauch.

Oh nein, sie berührt keineswegs ihren Bauch, sie berührt *es*. Desgleichen, wenn sie dem älteren Kind durch die Haare fährt.

Sie hat es ihrem Mann erzählt. Sie hat sich unzählige Möglichkeiten ausgedacht, wie sie es ihm verkünden könnte.

Inszenierungen, Stimmlagen, Uns-ist-ein-Kind-geboren – Aber nein.

Sie hat es ihm eines Abends gesagt, im Dunkeln, als ihre Beine ineinander verschlungen waren, kurz vorm Einschlafen. Sie hat gesagt: Ich bin schwanger. Und er hat sie aufs Ohr geküßt. Um so besser, hat er geantwortet.

Sie hat es auch ihrem anderen Kind erzählt. Weißt du, im Bauch von der Mama ist ein Baby. Ein kleines Brüderchen oder Schwesterchen, wie bei der Mama von Pierre. Und du wirst mal den Kinderwagen schieben dürfen, wie Pierre.

Er hat ihren Pullover hochgehoben und gesagt: Wo denn? Da ist doch gar kein Baby.

Sie hat im Bücherschrank nach *Ich freue mich auf mein Kind* von Laurence Pernoud gesucht. Das Buch ist ein wenig abgegriffen, es hat zwischenzeitlich ihrer Schwägerin und einer Freundin gedient.

Sie schaut sich gleich noch mal die Fotos in der Mitte an.

Das Kapitel heißt: *Bilder vom Leben vor der Geburt*, es beginnt mit »Ein Samen dringt in die Eizelle« und geht bis »Sechs Monate: Es lutscht am Daumen«.

Sie betrachtet die winzigkleinen Händchen, die so durchsichtig sind, daß man die Blutgefäße sieht, und dann die Augenbrauen, auf manchen Fotos kann man bereits die Augenbrauen erkennen.

Anschließend blättert sie direkt zum Kapitel: *»Wann werde ich entbinden?«* Es gibt eine Tabelle, die den Geburtstermin auf den Tag genau angibt. (»Schwarze Zahlen: Datum des ersten Tages der Menstruation. Farbige Zahlen: Voraussichtliches Datum der Entbindung.«)

Demnach dürfen wir unser Kind am 29. November erwarten. Was ist denn der 29. November? Sie sieht auf und holt den Postkalender, der neben der Mikrowelle hängt – der 29. November – Sankt Saturnin.

Saturnin, mal was anderes! denkt sie lächelnd.

Sie stellt das Buch irgendwo ins Regal. Es ist wenig wahrscheinlich, daß sie noch einmal einen Blick hineinwirft. Denn der ganze Rest: Die richtige Ernährung; Rückenschmerzen, Pigmentveränderungen, Schwangerschaftsstreifen, Sexualverkehr, Wird Ihr Kind normal sein?, Wie bereitet man die Entbindung vor?, Die Wahrheit über den Schmerz usw. Das alles ist ihr ziemlich egal, vielmehr, es interessiert sie nicht. Sie ist zuversichtlich.

Nachmittags schläft sie im Stehen und ißt zu allen Mahlzeiten dicke russische Gewürzgurken.

Vor Ablauf des dritten Monats erfolgt der erste obligatorische Besuch beim Frauenarzt. Die Blutabnahme, die Papiere für die Krankenkasse, die Schwangerschaftsbescheinigung für den Arbeitgeber.

Sie geht um die Mittagszeit hin. Sie ist aufgewühlter, als es nach außen hin den Anschein hat.

Sie geht zu dem Arzt, der ihr erstes Kind zur Welt gebracht hat.

Sie reden ein wenig über dieses und jenes: und Ihr Mann, die Arbeit? Ihre Umbauarbeiten, gehen sie voran? Und Ihre Kinder, die Schule? Und diese Schule, glauben Sie, daß …?

Neben dem Untersuchungstisch steht das Ultraschallgerät. Sie setzt sich. Der Monitor ist noch nicht an, aber sie kann es nicht lassen, draufzuschauen.

Als allererstes läßt er sie die Herztöne hören.

Der Ton steht auf laut, und es hallt durch das ganze Zimmer:

Bum-bum bum-bum bum-bum.

Die blöde Nuß, schon hat sie Tränen in den Augen.

Und dann zeigt er ihr das Kind.

Ein winzigkleines Menschenkind, das Arme und Beine bewegt. Zehn Zentimeter und fünfundvierzig Gramm. Die Wirbelsäule ist gut zu erkennen, man könnte die einzelnen Wirbel zählen.

Ihr Mund steht sicher weit offen, aber sie sagt nichts.

Der Arzt scherzt. Er sagt: Ha, das hab ich gewußt, das bringt selbst die Geschwätzigsten zum Schweigen!

Während sie sich anzieht, packt er die Ultraschallaufnahmen in eine kleine Mappe. Und später, wenn sie im Auto sitzt, noch bevor sie den Motor anlassen wird, wird sie die Fotos eingehend studieren, und während sie jedes Detail darauf auswendig lernt, wird man ihren Atem nicht hören.

Die Wochen sind verflogen, und ihr Bauch ist dicker geworden. Ihre Brüste auch. Mittlerweile trägt sie 95 C. Unglaublich.

Sie hat eine Boutique für werdende Mütter aufgesucht und Kleider in ihrer Größe gekauft. Dabei hat sie sich zu etwas Verrücktem hinreißen lassen. Sie hat sich für die Hochzeit ihrer Kusine Ende August ein wunderschönes und nicht ganz billiges Kleid ausgesucht. Ein Leinenkleid, von oben bis unten mit kleinen Perlmuttknöpfen besetzt. Sie hat lange gezögert, weil sie nicht sicher weiß, ob sie noch mehr Kinder haben will. Und dann ist es natürlich ein bißchen sehr teuer …

Sie überlegt in der Umkleide, sie verheddert sich beim Rechnen. Als sie aus der Kabine kommt, das Kleid auf dem Arm und Unentschlossenheit im Gesicht, sagt die Verkäuferin: Nun tun Sie sich schon was Gutes! Klar, Sie haben nicht lange was davon, aber was für eine Freude! Außerdem sollte sich eine schwangere Frau keinen Kummer zufügen. Sie sagt es in scherzhaftem Ton, nichtsdestotrotz, sie ist eine gute Verkäuferin.

Daran denkt sie, als sie wieder auf der Straße steht mit der schwachsinnigen Tüte in der Hand. Sie muß dringend aufs Klo. Normal.

Außerdem ist die Hochzeit ganz wichtig für sie, ihr Sohn soll Blumenkind sein. Es ist völlig albern, aber darüber freut sie sich sehr.

Ein weitere Quelle endlosen Zauderns ist das Geschlecht des Kindes.

Soll sie oder soll sie nicht fragen, ob es ein Junge oder ein Mädchen wird?

Der fünfte Monat mit der zweiten Ultraschalluntersuchung, auf der alles zu sehen ist, steht bevor.

Bei ihrer Arbeit muß sie viele unangenehme Dinge regeln und alle zwei Minuten Entscheidungen treffen. Sie trifft sie. Dafür wird sie bezahlt.

Aber hier – sie weiß es nicht.

Beim ersten hatte sie danach gefragt, okay. Aber dieses Mal ist es ihr so was von egal, ob es ein Junge oder ein Mädchen wird. So was von egal.

Schluß aus, sie wird nicht fragen.

»Sind Sie sicher?«, hat der Arzt gefragt. Sie weiß es nicht mehr. »Nun gut, ich werde Ihnen nichts verraten, aber wir wollen mal sehen, ob Sie selber was erkennen können.«

Langsam führt er die Sonde über das Gel auf ihrem Bauch. Mal hält er inne, nimmt Maß, kommentiert, mal geht er schnell weiter, lächelt, zum Schluß sagt er: In Ordnung, Sie können wieder aufstehen.

»Und?« fragt er.

Sie sagt, daß sie eine Ahnung hat, aber nicht sicher ist. »Und was für eine Ahnung haben Sie?« Na ja, sie meint, Anzeichen für einen kleinen Jungen gesehen zu haben, oder …?

»Ach, ich weiß nicht«, antwortet er und lächelt genüßlich. Sie hat Lust, ihn am Kittel zu packen und zu schütteln, damit er es ihr sagt, aber nein. Es soll eine Überraschung werden.

Ein dicker Bauch im Sommer, das wärmt. Ganz zu schweigen von den Nächten. Man schläft so schlecht, keine Stellung ist bequem. Aber nun gut.

Der Tag der Hochzeit rückt näher. Die Spannung in der Familie steigt. Sie sagt, daß sie sich um die Blumen kümmern will. Das ist die perfekte Aufgabe für ein Walroß wie sie. Man würde sie in die Mitte setzen, die Kinder brächten ihr, was sie braucht, und sie würde alles verzieren, was sich verzieren läßt.

In der Zwischenzeit klappert sie die Schuhläden ab, um »geschlossene weiße Sandalen« zu suchen. Die Braut möchte gerne, daß alle Kinder die gleichen Schuhe tragen. Wie unendlich praktisch. Ende August ist es ein Ding der Unmöglichkeit, weiße Sandalen aufzutreiben. »Aber Madame, wir bereiten die Herbstkollektion vor.« Am Ende hat sie welche gefunden, wenn auch nicht die allerschicksten und eine Nummer zu groß.

Sie betrachtet ihren großen Kleinen, der sich stolz vor den Spiegeln im Laden bewegt mit dem Holzschwert, das in einer Gürtelschlaufe seiner Bermudas baumelt, und mit seinen neuen Schuhen. Für ihn sind es intergalaktische Stiefel mit Laserschnallen, daran besteht überhaupt kein Zweifel. Sie findet ihn göttlich mit seinen schrecklichen Sandalen.

Plötzlich spürt sie einen heftigen Stoß im Bauch. Einen Stoß von innen.

Sie hat schon früher Stöße gespürt, Tritte im Bauch, aber jetzt ist es zum ersten Mal ganz eindeutig.

»Madame? Madame? Das wäre alles?«

»Ja ja, natürlich, entschuldigen Sie.«

»Kein Problem, Madame. Möchtest du einen Luftballon, kleiner Mann?«

Am Sonntag werkelt ihr Mann zu Hause herum. Er richtet ein Zimmerchen ein, in dem Raum, der ihnen als Wäschekammer gedient hat. Oft bittet er seinen Bruder, ihm zur Hand zu gehen. Sie hat Bier gekauft und ist den ganzen Tag hinter dem Kleinen her, damit er ihnen nicht im Weg herum läuft.

Vorm Schlafengehen blättert sie gelegentlich Einrichtungshefte durch, um sich inspirieren zu lassen. Aber noch ist ja Zeit.

Sie reden nicht über den Vornamen, weil sie sich nicht einigen können, und da sie beide wissen, daß sie das letzte Wort haben wird – wozu sich aufregen?

Am Donnerstag, dem 20. August, muß sie zur Sechs-Monats-Untersuchung. So ein Mist.

Der Zeitpunkt ist ausgesprochen ungünstig, mitten in den Festvorbereitungen. Zumal das Hochzeitspaar heute morgen zum Großmarkt gefahren ist und Berge voller Blumen gekauft hat. Zu diesem Zweck wurden die beiden Plastikwannen und das Planschbecken der Kinder wieder hervorgeholt.

Gegen zwei Uhr nachmittags legt sie die Gartenschere beiseite, zieht die Schürze aus und sagt, daß der Kleine im gelben Zimmer schläft. Sollte er vor ihrer Rückkehr aufwachen, würden sie ihm dann etwas zu essen geben? Nein, nein, sie wird nicht vergessen, Brot mitzubringen, Patentkleber und Bast.

Nachdem sie geduscht hat, schiebt sie ihren dicken Bauch hinter das Lenkrad.

Sie drückt auf den Knopf am Autoradio und überlegt, daß die Pause eigentlich gar nicht so schlecht ist, denn wenn viele Frauen um einen Tisch sitzen und ihre Hände beschäftigt sind, geht es ganz schön zur Sache.

Im Wartezimmer sitzen bereits zwei Frauen. Die große Herausforderung besteht nun darin, anhand ihrer Bäuche zu erraten, in welchem Monat sie sind.

Sie liest eine Ausgabe von Paris Match aus grauer Vorzeit, als Johnny Hallyday noch mit Adeline zusammen war.

Als sie eintritt, der obligatorische Händedruck, geht es Ihnen gut? Ja, danke und Ihnen? Sie stellt ihre Handtasche ab und setzt sich. Er tippt ihren Namen in den Computer. Anschließend weiß er, in welcher Schwangerschaftswoche sie ist und was alles auf sie zukommt.

Dann zieht sie sich aus. Er rollt etwas Papier auf den Untersuchungstisch, während sie sich wiegt, und mißt dann ihren Blutdruck. Er wird rasch ein »Sonogramm« machen, um sich das Herz anzuschauen. Sobald die Ultraschalluntersuchung zu Ende ist, wird er sich wieder vor seinen Computer setzen und weitere Dinge eingeben.

Gynäkologen haben einen ganz eigenen Trick. Sobald die Frau ihre Hacken in die Halterungen gezwängt hat, stellen sie ihr eine Reihe überraschender Fragen, damit sie – und sei es nur für einen kurzen Augenblick – diese peinliche Stellung vergißt.

Manchmal funktioniert es ein bißchen, meistens nicht.

Jetzt fragt er sie, ob sie das Kind spürt, ob es sich bewegt, sie fängt an zu erzählen, daß früher ja, in letzter Zeit immer weniger, aber sie führt ihren Satz nicht zu Ende, weil sie merkt, daß er ihr nicht zuhört. Er hat es natürlich längst begriffen. Er drückt auf alle Knöpfe an seinem Gerät, um Haltung zu bewahren, aber er hat es längst begriffen.

Er stellt das Gerät anders hin, aber seine Bewegungen sind plötzlich so abrupt, und sein Gesicht ist wie gealtert. Sie richtet sich halb auf, und auch sie hat es begriffen, aber sie fragt:»Was ist los?«

Er sagt:»Sie können sich wieder anziehen«, als hätte er sie nicht gehört, aber sie wiederholt noch einmal ihre Frage: »Was ist los?« Und er antwortet:»Es gibt ein Problem, der Fötus ist nicht mehr am Leben.«

Sie zieht sich wieder an.

Als sie sich wieder setzt, ist sie stumm, und ihr Gesicht zeigt keinerlei Regung. Er hämmert zahllose Dinge in seine Tastatur und führt gleichzeitig ein paar Telefonate.

Dann sagt er:»Wir werden wohl ein paar wenig spaßige Momente miteinander verbringen.«

Im ersten Augenblick weiß sie nicht, was sie von einem solchen Satz halten soll.

Mit »wenig spaßigen Momenten« hat er vielleicht die zig Blutabnahmen gemeint, die ihren Arm völlig ruinieren würden, oder die Ultraschalluntersuchung am nächsten Tag, die Bilder auf dem Monitor und die ganzen Maßnahmen, um zu begreifen, was er nie begreifen würde. Es sei denn, mit »wenig spaßigen Momenten« sei die Notentbindung in der Nacht zum Sonntag gemeint, mit dem Bereitschaftsarzt, der ziemlich verärgert ist, weil er *schon wieder* geweckt wird.

Ja, das muß wohl gemeint gewesen sein, »wenig spaßige Momente«, eine schmerzhafte Geburt ohne Anästhesie, weil es zu spät ist. So schlimme Schmerzen zu haben, daß man sich übergeben muß, anstatt zu pressen, wie es gefordert wird. Den eigenen Mann hilflos und völlig unbeholfen zu sehen, wie er einem die Hand streichelt, und schließlich das tote Etwas, das aus ihr herausgeholt wird.

Oder aber »wenig spaßige Momente« heißt, am Tag danach auf der Entbindungsstation zu liegen, mit leerem Bauch und Babygeschrei im Nachbarzimmer.

Das einzige, was sie sich nicht erklären kann, ist, weshalb er davon gesprochen hatte, daß »*wir* wenig spaßige Momente miteinander verbringen« würden.

Im Augenblick füllt er nur weiter ihr Krankenblatt aus und spricht zwischen zwei Mausklicks davon, den Fötus in Paris in einem Zentrum-für-ich-weiß-nicht-was untersuchen zu lassen, aber sie hört ihm schon lange nicht mehr zu.

Er sagt: »Ich bewundere Ihre Fassung.« Sie antwortet nicht.

Sie verläßt die Praxis durch die kleine Hintertür, weil sie nicht noch einmal durch das Wartezimmer gehen möchte.

Sie wird lange im Auto weinen, aber eins ist sicher, sie wird auf keinen Fall das Hochzeitsfest verderben. Um der anderen willen kann ihr Unglück noch zwei Tage warten.

Und am Samstag hat sie ihr Leinenkleid mit den kleinen Perlmuttknöpfen getragen.

Sie hat ihren kleinen Sohn angezogen und ein Foto von ihm gemacht, denn sie weiß genau, daß dieser Aufzug eines kleinen Lord Fauntleroy nicht lange tiptop bleiben wird.

Vor der kirchlichen Trauung sind sie noch einmal in die Klinik gefahren, damit sie unter oberster Aufsicht eine dieser schrecklichen Tabletten einnehmen konnte, die alle Babys abstoßen, gewollte wie ungewollte.

Sie hat Reis auf das Brautpaar geworfen und ist mit einem Sektkelch in der Hand über die fein geharkten Kieswege gelaufen.

Sie hat die Stirn gerunzelt, als sie sah, wie ihr kleiner Lord Fauntleroy Cola aus der Flasche trank, und sie hat sich um die Blumen gekümmert. Sie hat den Small-talk mitgemacht, wie es sich bei einem solchen Anlaß gehört.

Und da ist die andere plötzlich wie aus dem Nichts aufgetaucht, eine entzückende junge Frau, die sie nicht kannte, von der Seite des Bräutigams sicher.

Ganz spontan hat sie die Hände auf ihren Bauch gelegt und gesagt: »Darf ich? Es heißt, das bringt Glück.«

Was hätte sie tun sollen? Sie hat versucht, sie anzulächeln, was sonst?

Dieser Mann und diese Frau

Dieser Mann und diese Frau sitzen in einem ausländischen Wagen. Der Wagen hat dreihundertzwanzigtausend Franc gekostet, doch seltsamerweise war es vor allem der Preis der Kraftfahrzeugsteuer, der den Mann beim Händler hatte zögern lassen.

Die rechte Düse der Scheibenwaschanlage funktioniert nicht richtig. Das macht ihn fast wahnsinnig.

Am Montag wird er seine Sekretärin bitten, bei Salomon anzurufen. Einen Moment lang denkt er an die Brüste der Sekretärin, ganz kleine. Er hat noch nie mit seinen Sekretärinnen geschlafen. Das ist primitiv, und man kann heutzutage viel Geld dabei verlieren. Im übrigen betrügt er seine Frau nicht mehr, seit er und Antoine Say sich einmal den Spaß gemacht haben, beim Golfspielen ihre jeweiligen Unterhaltszahlungen auszurechnen.

Sie sind auf dem Weg zu ihrem Wochenendhaus auf dem Land. Einem wunderschönen Anwesen in der Nähe von Angers. Phantastisch geschnitten.

Sie haben es zu einem Spottpreis erstanden. Die Renovierungsarbeiten allerdings ...

Holztäfelungen in allen Zimmern, ein Kamin, der erst auseinandergenommen und dann Stück für Stück wieder zusammengesetzt wurde, in den sie sich bei einem englischen Antiquitätenhändler auf Anhieb verliebt hatten. An den Fenstern schwere Stoffe, mit Raffhaltern befestigt. Eine hochmoderne Küche, Handtücher aus Damast und Arbeitsflächen aus grauem Marmor. So viele Bäder wie Schlafzimmer, wenig Möbel, aber alle echt. An den Wänden zu große Rahmen mit zuviel Gold für die Kunstdrucke aus dem 19. Jahrhundert, vorwiegend mit Jagdmotiven.

Alles wirkt ein wenig neureich, zum Glück merken sie es nicht.

Der Mann trägt Freizeitkleidung, eine alte Tweedhose und einen himmelblauen Kaschmirpullover (Ein Geschenk seiner Frau zu seinem Fünfzigsten). Seine Schuhe sind von John Lobb, für nichts auf der Welt würde er seinen Lieferanten wechseln. Natürlich sind seine Strümpfe aus edelster Wolle und gehen bis über die Waden. Natürlich.

Er fährt relativ schnell. Er ist nachdenklich. Sobald sie da sind, wird er das Hausmeisterehepaar aufsuchen, um mit ihnen über das Anwesen, den Hausputz, das Auslichten der Buchen und die Wilderei zu reden … Wie er das haßt.

Er haßt es, wenn man ihn verarscht, und genau das ist bei den beiden der Fall, die sich am Freitagmorgen lustlos an die Arbeit machen, weil die Hausherren am Abend eintreffen und sie den Eindruck vermitteln wollen, etwas getan zu haben.

Er sollte sie vor die Tür setzen, aber im Augenblick hat er dafür wahrlich nicht die Zeit.

Er ist müde. Seine Geschäftspartner kotzen ihn an, er schläft fast nicht mehr mit seiner Frau, seine Windschutzscheibe ist voller Mücken, und sein rechter Vergaser funktioniert nicht richtig.

Die Frau heißt Mathilde. Sie ist hübsch, aber in ihrem Gesicht stehen die ganzen Entbehrungen ihres Lebens geschrieben.

Sie hat immer gewußt, wann ihr Mann sie betrogen hat, und sie weiß auch, daß es am Geld liegt, wenn er es jetzt nicht mehr tut.

Sie sitzt auf dem Beifahrersitz, und sie wird immer ganz schwermütig auf den unendlich langen Hin- und Rückfahrten am Wochenende.

Sie überlegt, daß sie nie geliebt worden ist, sie überlegt, daß sie keine Kinder bekommen hat, sie denkt an den kleinen Jungen der Hausmeisterin, der Kevin heißt und im Januar drei wird. Kevin, was für ein schrecklicher Vorname. Wenn sie einen Sohn gehabt hätte, hätte sie ihn Pierre genannt, nach ihrem Vater. Sie erinnert sich noch an diesen gräßlichen Streit, als sie von Adoption gesprochen hatte. Aber sie denkt auch an das hübsche grüne Kostüm, das sie kürzlich im Schaufenster von Cerruti gesehen hat.

Sie hören Fip. Fip ist nicht schlecht: klassische Musik, die man dankbar schätzt, Musik aus aller Welt, die einem das Gefühl gibt, offen zu sein, und kurze Nachrichtenspots, die dem Elend kaum die Zeit lassen, ins Wageninnere zu dringen.

Sie haben gerade die Mautstelle passiert. Sie haben noch kein einziges Wort gewechselt und haben noch eine weite Strecke vor sich.

The Opel touch

Wenn Sie mich jetzt sehen, gehe ich die Rue Eugène-Gonon entlang.

Ein ganzes Programm.

Was, ohne Witz? Sie kennen die Rue Eugène-Gonon nicht? Wollen Sie mich auf den Arm nehmen?

Die Rue Eugène-Gonon ist eine Straße voller Vorstadthäuschen mit winzigen Rasenflächen und schmiedeeisernen Markisen. Die berühmte Rue Eugène-Gonon von Melun.

Klar doch! Das kennen Sie, Melun – mit seinem Gefängnis, seinem Brie, dem es nicht schaden würde, wenn er ein bißchen bekannter wäre, und seinen Zugunglücken.

Melun.

Sechste Zone der Pariser Monatskarte.

Mehrmals täglich gehe ich die Rue Eugène-Gonon entlang. Viermal insgesamt.

Auf dem Weg zur Uni, auf dem Weg zurück, dazwischen Mittagessen, auf dem Weg zur Uni, auf dem Weg zurück.

Am Ende des Tages bin ich fix und fertig.

Sicher, es sieht nicht so aus, aber man muß es sich nur mal vorstellen. Viermal täglich die Rue Eugène-Gonon entlanglaufen auf dem Weg zur juristischen Fakultät, um zehn Jahre lang Prüfungen abzulegen, um einen Beruf auszuüben, auf den man keine Lust hat – Jahre mit dem Bürgerlichen Gesetzbuch, dem Strafrecht, Vorlesungsskripten, Artikeln, Paragraphen, Fachzeitschriften und was weiß ich, was nicht noch alles. Und das Ganze, halten Sie sich gut fest, für einen Beruf, der mich schon jetzt langweilt.

Seien Sie ehrlich. Das reicht dicke, um am Ende des Tages fix und fertig zu sein.

Und jetzt, wenn Sie mich jetzt also sehen, bin ich auf meiner dritten Etappe. Ich habe zu Mittag gegessen und bewege mich entschlossen auf die juristische Fakultät von Melun zu, jippi. Ich zünde mir eine Zigarette an. Okay, sage ich mir, das ist die letzte.

Ganz leise fange ich an zu kichern. Wenn es nicht schon zum tausendsten Mal die letzte für dieses Jahr ist.

Ich gehe an den kleinen Vorstadthäusern entlang. *Villa Marie-Thérèse, Ma Félicité, Doux Nid.* Es ist Frühling, und ich werde allmählich ernsthaft depressiv. Keine großen Geschosse: Krokodilstränen, Apotheke, nichts mehr essen und so, nein.

Eher wie dieser Weg durch die Rue Eugène-Gonon, viermal am Tag. Es laugt mich aus. Begreife, wer kann.

Ich seh nicht ganz den Zusammenhang mit dem Frühling.

Warte. Der Frühling, die kleinen Vögel, die sich zwischen den Knospen der Pappeln zanken. Die Nacht, die Kater, die einen Höllenlärm veranstalten, die Enteriche, die auf der Seine hinter den Entenweibchen herjagen, und dann noch die Verliebten. Sag nicht, daß du die Verliebten nicht siehst, die sind überall. Küsse, die kein Ende nehmen wollen, mit viel Spucke, Knüppel in den Jeans, Hände, die auf Entdeckungsreise gehen, und die besetzten Bänke. Das macht mich verrückt.

Das macht mich verrückt. Mehr nicht.

Bist du eifersüchtig? Hast du Entzugserscheinungen?

Ich? Eifersüchtig? Entzugserscheinungen? Neineineinein, also – das meinst du nicht ernst.

(...)

Pffffff, völliger Schwachsinn. Fehlt gerade noch, daß ich eifersüchtig bin auf diese Armleuchter, die alle Welt mit ihrer Gier ermüden. Völliger Schwachsinn.

(...)

Klar bin ich eifersüchtig!!! Sieht man das etwa nicht? Brauchst du ne Brille? Siehst du nicht, wie eifersüchtig ich bin? Daß ich daran zugrunde gehe? Siehst du nicht, daß ich auf Liiiiiiiiiieeeeeebesentzug bin?

Siehst du das nicht? Na ja, ich frage mich, was du überhaupt siehst.

Ich sehe aus wie eine Figur von Bretécher: ein Mädchen auf einer Bank mit einem Schild um den Hals: »Ich will Liebe« und Tränen, die wie zwei Quellen aus beiden Augenwinkeln schießen. Ich sehe mich genau. Was für ein Bild.

O nein, jetzt bin ich nicht länger in der Rue Eugène-Gonon (ich habe schließlich meinen Stolz), ich bin bei Pramod.

Sich Pramod vorzustellen ist nicht schwer, Pramod gibt's überall. Ein Kaufhaus mit Billigklamotten mittlerer oder sagen wir passabler Qualität, sonst riskiere ich, hier rauszufliegen.

Pramod, das ist mein Job, mein Kleingeld, meine Zigaretten, meine Espressos, meine nächtlichen Ausflüge, meine eleganten Dessous, mein Guerlain, meine Schwäche für Rouge, meine Taschenbücher, meine Kinobesuche. Eben alles.

Ich hasse es, bei Pramod zu arbeiten, aber ohne Pramod? Trage ich Gemey, das für vier neunzig stinkt, leihe mir im Club Melun Videofilme und schreibe den letzten Jim Harrison auf die Empfehlungsliste der städtischen Bibliothek? Nein, lieber verrecken. Lieber bei Pramod malochen.

Und wenn ich genauer darüber nachdenke, dann zieh ich mir lieber die Dampfwalzen rein als den Fettgeruch bei Mc Donald's.

Das Problem sind meine Kollegen. Sie werden sagen, aber Mädchen, das Problem sind immer die Kollegen.

Okay, aber kennen Sie etwa Marilyne Marchandize? (Ohne Witz, das ist die Filialleiterin vom Pramod im Zentrum von Melun. Und sie heißt Marchandize – O Schicksal.)

Nein, natürlich kennen Sie sie nicht, und dabei ist sie *die* Filialleiterin aller Pramods in Frankreich. Und ordinär noch dazu, ordinär.

Ich kann es Ihnen gar nicht sagen. Es ist nicht so sehr ihr Auftreten, obwohl – ihre schwarzen Haare am Ansatz und ihr Handy an der Hüfte, das bringt mich um. Nein, es ist eher eine Sache des Herzens.

Ein ordinäres Herz ist etwas Unsägliches.

Sehen Sie sie an, wie sie mit ihren Angestellten spricht. Völlig daneben. Die Oberlippe hochgezogen, sie findet uns sicher soooooowas von blöd, aber auch sooooowas von blöd. Bei mir ist es am schlimmsten, ich bin die Studierte. Die weniger Rechtschreibfehler macht als sie, und das, das bringt sie echt auf die Palme.

»Das Geschäft ist vom 1. bis 15. August geschlossen.«

Moment mal, meine Liebe, da gibt's ein Problem.

Hat man dir nie beigebracht, das Wort laut vor dich hinzusprechen? In deinem kleinen gebleichten Kopf sprichst du's dir vor: »schließen – geschlossen«. Da siehst du's. Das ist nicht kompliziert, lange und kurze Vokale nennt man das! Ist das nicht toll!?

O je, dieser Blick. Jetzt schreibt sie ihr Schild noch mal neu: »Schließung des Geschäfts vom 1. bis 15. August.« Ich jubiliere.

Während sie mit mir spricht, bleibt ihre Lippe am Platz, aber das kostet sie einiges.

Doch abgesehen von der Energie, die es mich kostet, die Leiterin anzuleiten, schlage ich mich tapfer.

Geben Sie mir eine x-beliebige Kundin, und ich kleide sie von Kopf bis Fuß ein. Die Accessoires nicht zu vergessen. Warum? Ich schaue sie mir an. Bevor ich sie berate, schaue ich sie mir an. Ich schaue mir gerne Leute an. Vor allem Frauen.

Sogar die häßlichsten haben noch was. Und sei es nur der Wunsch, hübsch zu sein.

»Marianne, ich glaub, ich seh nicht recht, die Bodys für den Sommer liegen noch im Lager. Die könnte man vielleicht mal rausholen.«

Man muß ihnen aber auch alles sagen, das darf doch nicht wahr sein!

Wir sind ja schon dabei. Trotzdem.

Ich will Liebe.

Samstagabend, *ze saturday night fever.*

Das Milton ist der Saloon der Cowboys von Melun. Ich bin mit meinen Freundinnen unterwegs.

Zum Glück gibt es sie. Sie sind lieb, sie lachen laut, und sie kippen nicht gleich beim ersten Glas um.

41

Ich höre das Knirschen der GTIs auf dem Parkplatz, das Töf töf töf der zu kleinen Harleys und das Klackern der Zippos. Als Willkommenstrunk servieren sie uns einen viel zu süßen Cocktail, haben wahrscheinlich ein Maximum an Sirup reingekippt, um am Sekt zu sparen, und außerdem, das ist bekannt, Mädchen lieben Sirup. Was mach ich hier bloß, frag ich mich? Ich bin total genervt. Meine Augen brennen. Zum Glück trage ich Kontaktlinsen, bei dem Rauch muß das als Erklärung herhalten.

»Hallo Marianne, alles in Ordnung?« fragt mich eine Zicke, die in meiner Abiturklasse war.

»Hallo!« *Und los geht's, vier Küßchen.* »Alles in Ordnung. Schön, dich mal wieder zu sehen, nach so langer Zeit. Wo bist du denn abgeblieben?«

»Haben's dir die anderen nicht erzählt? Ich war in den *States*, du wirst es nicht glauben, affengeil. L.A., eine Hütte, du kannst es dir nicht vorstellen. Schwimmbad, Jacuzzi, Superblick aufs Meer. He, der totale Knüller bei mega-coolen Leuten, keinen verklemmten Amis, weißt du. O no, total irre.«

Sie schüttelt ihre kalifornischen Strähnchen, um ihr übergroßes Fernweh zu demonstrieren.

»Hast du auch George Clooney getroffen?«

»He, warum sagst du das?«

»Ach, nichts. Ich hatte nur gedacht, du hättest vielleicht noch George Clooney getroffen, sonst nix.«

»Du bist ja mies drauf«, schlußfolgert sie, bevor sie sich verzieht und ihren Au-pair-Vertrag vor argloseren Seelen abspult.

He, sehen Sie nur, wer da kommt. Buffalo Bill, könnte man meinen.

Ein ziemlich hagerer Typ mit vorspringendem Adamsapfel und gepflegtem Spitzbärtchen – total mein Ding – nähert sich meinen Brüsten und versucht, mit ihnen in Kontakt zu kommen.

Der Typ: Haben wir uns nicht schon mal irgendwo gesehen?

Meine Brüste: …

Der Typ: Aber na klar! Jetzt weiß ich's wieder, warst du nicht an Halloween im Garage?

Meine Brüste: …

Der Typ, der sich nicht entmutigen läßt: Bist du Französin? *Do you understand mi?*

Meine Brüste: …

Mit einem Mal hebt Buffalo den Kopf. Ach, nee, hast du gesehen? Ich habe auch ein Gesicht.

Er kratzt sich am Bart als Zeichen der Enttäuschung (ritsch ritsch ritsch) und scheint tief in Gedanken versunken.

From where are you from?

Wwwwaaauuu Buffalo! You speak the grand canyon!

Ich bin aus Melun, 4, Place de la Gare, und ich sag's dir lieber gleich, ich habe in meinem BH kein Funkgerät versteckt.

Ritsch ritsch …

Ich muß an die frische Luft, ich sehe nichts mehr, verflucht, diese Scheißlinsen.

Und außerdem, Mädchen, wie redest du denn?

Ich stehe vor dem Milton, mir ist kalt, ich heule wie ein Schloßhund, ich möchte überall sein, nur nicht hier, ich frage mich außerdem, wie ich nach Hause komme, ich betrachte die Sterne, es gibt nicht mal welche. Ich heule noch mehr.

In solchen Fällen, wenn die Situation total ausweglos scheint, ist das Klügste, was ich machen kann – meine Schwester.

Ring rriiiinng riiinng

»Hallo« (verschlafene Stimme).

»Hallo, hier ist Marianne.«

»Wie spät ist es denn? Wo bist du?« (genervt)

»Ich bin im Milton, kannst du mich abholen?«

»Was ist los? Was ist passiert?« (beunruhigt)

Ich wiederhole:

»Kannst du mich abholen?«

Lichthupe am anderen Ende vom Parkplatz.

»Komm steig ein, Große«, sagt meine Schwester.

»Du bist ja in Großmutters Nachthemd!!!«

»Na ja, ich hab mich beeilt, wie du siehst!«

»Du bist in Omas durchsichtigem Nachthemd zum Milton gekommen!« sage ich und pruste los.

»Erstens werde ich kaum so aus dem Auto steigen, zweitens ist es nicht durchsichtig, sondern durchbrochen, hat man dir das bei Pramod nicht beigebracht?«

»Und wenn dir das Benzin ausgeht? Ganz abgesehen davon, daß in diesem Viertel bestimmt noch ein paar ehemalige Verehrer herumlaufen.«

»Wo denn? Zeig mal.« (interessiert)

»Da, ist das nicht zufällig die ›Teflonpfanne‹?«

»Rück mal ein Stück. O ja! Du hast recht. Mein Gott ist der häßlich, der ist ja noch häßlicher als früher. Was fährt er denn jetzt für ne Kiste?«

»Einen Opel.«

»Aha, ich seh schon, ›The Opel touch‹ steht auf der Heckscheibe.«

Sie sieht mich an, wir lachen uns halbtot. Wir sind zusammen und lachen uns halbtot:

1. über die guten alten Zeiten
2. über die »Teflonpfanne« (weil der nie haften blieb)
3. über seinen aufgemotzten Opel
4. über sein Lenkrad mit Perücke
5. über seine Lederjacke, die er nur am Wochenende anhat, und über die tadellose Bügelfalte seiner Levi's 501, die seine Mutter so gut hinkriegt, weil sie entsprechend fest aufs Bügeleisen drückt.

Das tut gut.

Meine Schwester mit ihrer spießigen Kiste läßt auf dem Parkplatz vom Milton die Reifen quietschen, Gesichter drehen sich um, sie sagt: »Jojo wird mir einen Anschiß verpassen, davon gehen sie kaputt.«

Sie lacht. Ich nehme meine Kontaktlinsen raus und lege den Sitz nach hinten um.

Auf Zehenspitzen betreten wir die Wohnung, Jojo und die Kinder schlafen schon.

Meine Schwester macht mir einen Gin-Tonic ohne Schweppes und sagt:

»Na, wo drückt der Schuh?«

Und ich erzähle es ihr. Ohne allzugroße Hoffnung, denn meine Schwester ist eine ziemliche Niete als Psychologin.

Ich erzähle ihr, daß mein Herz ein großer leerer Beutel ist, der Beutel ist ziemlich elastisch, ein ganzer Souk würde da reinpassen, und dabei ist nichts drin.

Ich rede von einem richtigen Beutel, nicht von diesen erbärmlichen Plastiktüten aus den Supermärkten, die ständig reißen, nein. Mein Beutel – so wie ich ihn mir zumindest vorstelle – erinnert mehr an die riesigen blauweißgestreiften Dinger, die die dicken schwarzen Mamis in Barbès auf dem Kopf tragen.

»O Kacke, ich seh schon – wir sitzen mittendrin«, sagt meine Schwester und schenkt noch einmal nach.

Ambre

Ich habe in meinem Leben zig Mädchen vernascht, bei den meisten kann ich mich nicht mal mehr an das Gesicht erinnern.

Ich erzähle das nicht, um Eindruck zu schinden. In meiner jetzigen Situation, bei all der Knete, die ich verdiene, und all diesen Arschkriechern unter mir, kannst du mir glauben, daß ich es nicht nötig habe, irgendwas daherzureden.

Ich erzähle es, weil es stimmt. Ich bin achtunddreißig und habe fast alles in meinem Leben vergessen. Das gilt für die Mädchen, und das gilt auch für alles andere.

Es kommt manchmal vor, daß mir eine alte Zeitschrift in die Hände fällt, so eine, mit der man sich eigentlich nur noch den Arsch abwischen kann, und ich sehe mich auf einem Foto mit irgendeiner Puppe am Arm.

Ich lese die Bildunterschrift und stelle fest, daß das betreffende Mädchen Laetitia heißt oder Sonia oder wie auch immer, ich sehe mir das Foto noch einmal an, wie um mir zu sagen: »Ach ja, natürlich, Sonia, die kleine Brünette aus der Villa Barclay mit ihren Piercings und ihrem Vanilleduft ...«

Aber, das ist es nicht, was mir in den Sinn kommt.

Im Geiste wiederhole ich »Sonia«, wie ein Bekloppter, und lege das Heft zur Seite, um mir eine Kippe zu holen.

Ich bin achtunddreißig und weiß genau, daß mein Leben im Arsch ist. Hier oben löst sich langsam alles auf. Man braucht nur mal mit dem Fingernagel zu kratzen, und ganze Wochen landen im Müll. Um dir zu erzählen, wie es ist: Vor kurzem habe ich das Wort Golfkrieg gehört, ich drehe mich um und frage:

Golfkrieg, wann war'n der?

1991, bekomme ich zur Antwort, als bräuchte ich ein Lexikon für die genauen Angaben. Aber die Wahrheit ist, verdammte Kacke, ich hatte noch nie davon gehört.

Im Müll gelandet, der Golfkrieg.

Nichts gesehen. Nichts gehört. Ein ganzes Jahr, mit dem ich nichts anfangen kann.

1991 war ich nicht da.

1991 war ich bestimmt damit beschäftigt, meine Venen zu suchen, und habe nicht mitgekriegt, daß es einen Krieg gab. Du wirst mir sagen, ist mir egal. Ich sage Golfkrieg, weil es ein gutes Beispiel ist.

Ich vergesse fast alles.

Sonia, verzeih mir, aber es stimmt. Ich erinnere mich nicht mehr an dich.

Und dann habe ich Ambre getroffen.

Wenn ich nur schon ihren Namen sage, fühle ich mich gut.

Ambre.

Das erste Mal, daß ich sie gesehen habe, war im Aufnahmestudio in der Rue Guillaume-Tell. Wir steckten seit einer Woche im Schlamassel, und alle gingen uns auf den Geist mit irgendwelchen üblen Geldgeschichten, weil wir ziemlich hintendran waren.

Man kann nicht alles vorhersehen. Nie. In *dem* Fall hatten wir nicht vorhersehen können, daß dem Supertontechniker, den wir zu einem Wahnsinnspreis aus den States hatten einfliegen lassen, um es den fetten Lederjacken in der Plattenfirma recht zu machen, bei der erstbesten Gelegenheit die Luft ausgehen würde.

Die Müdigkeit und die Zeitverschiebung sind ihm wohl nicht bekommen, hat der Doc behauptet.

So ein Blödsinn, die Zeitverschiebung hatte damit nicht das geringste zu tun.

Bei dem Yankee waren bloß die Augen größer als der Bauch, und das geschah ihm recht. Jetzt sah er alt aus mit seinem Vertrag, mit dem »er die kleinen Frenchies zum Tanzen bringen wollte« ...

Es war eine üble Zeit. Ich hatte seit Wochen kein Tageslicht mehr gesehen und habe mich nicht mehr getraut, mit der Hand mein Gesicht zu berühren, ich hatte das Gefühl, meine Haut würde platzen oder Risse bekommen oder so was in der Art.

Am Ende konnte ich nicht mal mehr rauchen, so weh tat mir der Hals.

Fred ging mir eine Zeitlang mit einer Freundin seiner Schwester auf den Zeiger. Einer Fotografin, die mich auf einer Tournee begleiten wollte. Als free lance, aber ohne die Fotos hinterher verkaufen zu wollen. Nur für sich.

He, Fred, laß mich in Ruhe damit ...

Wart doch mal, was kümmert's dich, wenn ich sie mal einen Abend mitbringe, oder? Was kümmert dich das?!

Ich kann Fotografen nicht ab, ich kann künstlerische Leiter nicht ab, ich kann Journalisten nicht ab, ich kann es nicht ab, wenn man mir im Weg steht, und ich kann es nicht ab, wenn man mich beobachtet. Geht dir das in deinen Schädel oder nicht?

Scheiße, bleib cool, Mann, nur für einen Abend, zwei Minuten. Du brauchst ja nicht mit ihr zu reden, wahrscheinlich siehst du sie nicht mal. Tu's mir zuliebe, verdammt. Man merkt schon, daß du meine Schwester nicht kennst.

Vorhin habe ich dir erzählt, daß ich alles vergesse, aber das nicht, wie du siehst.

Sie kam durch die kleine Tür auf der rechten Seite, wenn du vorm Mischpult stehst. Sie sah aus, als wollte sie sich entschuldigen, ging auf Zehenspitzen und trug ein weißes T-Shirt mit ganz schmalen Trägern. Von dort, wo ich stand, hinter der Scheibe, konnte ich ihr Gesicht nicht gleich sehen, aber als sie sich hingesetzt hat, sind mir ihre winzigen Brüste aufgefallen, und schon hatte ich Lust, sie zu berühren.

Später hat sie mir zugelächelt. Nicht wie die Mädchen, die mir sonst zulächeln, weil sie sich freuen, daß ich sie anschaue.

Sie hat mir einfach so zugelächelt, um nett zu sein. Und nie ist mir eine Aufnahme so lang vorgekommen wie an diesem Tag.

Als ich aus meinem Glaskäfig kam, war sie verschwunden.
Ich sagte zu Fred:
Ist das die Freundin deiner Schwester?
Jaaa.
Wie heißt sie?
Ambre.
Ist sie gegangen?
Ich weiß nicht.
Scheiße.
Was?
Nichts.

Am letzten Tag ist sie wiedergekommen. Paul Ackermann hatte im Studio eine kleine Party organisiert, »um deine nächste goldene Platte zu feiern«, hatte er gesagt, der Blödmann. Ich kam gerade aus der Dusche, mit noch nacktem Oberkörper, und trocknete mir den Kopf mit einem viel zu großen Handtuch ab, als Fred uns miteinander bekannt machte.

Ich habe fast kein Wort rausgebracht. Als wäre ich fünfzehn, und ich ließ das Handtuch auf den Boden fallen.

Sie hat mir wieder zugelächelt, wie beim ersten Mal.

Sie zeigte auf einen Baß und fragte:

Ist das Ihre Lieblingsgitarre?

Und ich – ich wußte nicht, ob ich sie gerne geküßt hätte, weil sie so überhaupt nichts davon verstand oder weil sie »Sie« zu mir sagte, wo mich sonst alle Welt duzte und mir dabei auf den Bauch klopfte …

Vom Präsidenten der Republik bis zum hinterletzten Arschloch sagten alle »du«, als hätten wir zusammen Schweine gehütet.

Die Branche will es so.

Ja, habe ich geantwortet, die mag ich am liebsten.

Und ich suchte mit den Augen nach etwas, was ich mir überziehen konnte.

Wir haben uns ein bißchen unterhalten, aber es war schwierig, weil Ackermann ein paar Journalisten eingeladen hatte, das hätte ich mir denken können.

Sie hat mich wegen der Tournee gefragt, und ich habe zu allem »ja« gesagt und heimlich ihre Brüste betrachtet. Dann hat sie sich verabschiedet, und ich habe überall nach Fred oder nach Ackermann gesucht oder nach dem Erstbesten, dem ich eine in die Fresse hauen konnte, weil ich innerlich überkochte.

Die Tournee umfaßte rund zehn Termine, fast alle außerhalb von Frankreich. Wir waren zwei Abende in der Cigale, den Rest bringe ich völlig durcheinander. Wir sind in Belgien, Deutschland, Kanada und in der Schweiz gewesen, aber frag mich nicht in welcher Reihenfolge, ich könnte es nicht sagen.

Auf Tournee bin ich müde. Ich mache meine Musik, ich singe, ich versuche, clean zu bleiben, so gut es geht, und ich schlafe im Pullman.

Auch wenn ich einen Arsch aus Massivgold hätte, wäre ich mit meinen Musikern in einem klimatisierten Pullman on the road. An dem Tag, an dem du mich ohne sie in ein Flugzeug steigen siehst, um ihnen kurz vorm Auftritt die Pfote zu geben, sag mir Bescheid, das hieße dann, daß ich hier nichts mehr verloren habe und daß es an der Zeit ist, mich nach was anderem umzusehen.

Ambre hat uns begleitet, aber ich habe es nicht von Anfang an gewußt.

Sie hat ihre Fotos gemacht, ohne daß wir es gemerkt haben. Sie war bei den Backgroundsängerinnen untergebracht. Man hörte sie gelegentlich in den Hotelkorridoren kichern, wenn Jenny ihnen die Karten legte. Wenn ich sie sah, hob ich den Kopf und versuchte, mich gerade zu halten, aber ich bin in den ganzen Wochen nicht ein einziges Mal auf sie zugegangen.

Ich kann den Job und Sex nicht mehr vermischen, ich bin alt geworden.

Der letzte Abend war ein Sonntag. Wir waren in Belfort, wo wir als glanzvollen Abschluß ein Sonderkonzert zum zehnten Geburtstag von Eurock geben wollten.

Beim Abschiedsessen habe ich mich neben sie gesetzt.

Dieser Abend ist uns heilig, und wir respektieren ihn und reservieren ihn für uns: für die Roadies, die Techniker, die Musiker und alle, die uns auf der Tournee geholfen haben. Das ist nicht der Moment, um uns mit einem Starlet oder einem Schreiberling aus der Provinz auf die Nerven zu gehen, nicht einmal Ackermann wäre es in den Sinn gekommen, Fred auf seinem Handy anzubimmeln, um sich nach den letzten News zu erkundigen oder nach der Anzahl der verkauften Karten.

Man muß auch sagen, im allgemeinen ist das ziemlich schlecht für unser Image.

Unter uns heißen diese Abende Fliegentöter, und das besagt alles.

Tonnen von Streß, die sich auflösen, die Freude über die abgeschlossene Arbeit, die ganzen Spulen noch heiß in ihrer Dose und mein Manager, der das erste Mal seit Monaten plötzlich lächelt, das ist zuviel auf einmal, das artet leicht aus …

Am Anfang habe ich noch versucht, Ambre rumzukriegen, aber als ich kapiert habe, daß ich zu breit war, um sie richtig zu vernaschen, habe ich es aufgegeben.

Sie hat sich nichts anmerken lassen, aber ich weiß, daß sie die Situation voll durchschaut hat.

Irgendwann, als ich im Restaurant auf dem Klo war, habe ich ihren Namen langsam und laut in den Spiegel überm Waschbecken gesprochen, aber anstatt einmal tief durchzuatmen und mir kaltes Wasser in die Fresse zu spritzen, um ihr ins Gesicht zu sagen: »Wenn ich dich anschaue, bekomme ich Bauchflattern wie vor zehntausend Zuschauern, bitte hör auf damit, nimm mich in den Arm«, habe ich mich umgedreht und beim Dealer vom Dienst Stoff für zwei Riesen gekauft.

Monate sind vergangen, das Album kam heraus – Mehr sage ich nicht, es ist eine Zeit, die ich immer weniger gut ab kann: wenn ich nicht mehr allein sein kann mit meinen sinnlosen Fragen und meiner Musik.

Wieder einmal war es Fred, der kam, um mich mit seinem schwarzen Vmax abzuholen und zu ihr zu bringen.

Sie wollte uns ihre Arbeiten von der Tour zeigen.

Ich war gut drauf. Ich freute mich, Vickie, Nath und Francesca wiederzusehen, die live mit mir gesungen hatten. Sie gingen jetzt eigene Wege. Francesca wollte ein Album für sich allein, und wieder einmal habe ich ihr auf Knien geschworen, ihr unvergeßliche Sachen zu komponieren.

Ihre Wohnung war winzig, und man trat sich gegenseitig auf die Füße. Wir tranken eine Art rosa Tequila, den der Nachbar von gegenüber zusammengepanscht hatte. Er war Argentinier und maß mindestens zwei Meter, er lächelte die ganze Zeit.

Ich war über seine Tätowierungen völlig baff.

Ich bin aufgestanden. Wußte, daß sie in der Küche war. Sie sagte:

Willst du mir helfen?

Ich sagte nein.

Sie sagte:

Willst du meine Fotos sehen?

Ich hatte Lust, noch einmal nein zu sagen, aber statt dessen habe ich gesagt:

Jaaa, gern.

Sie ging in ihr Schlafzimmer. Als sie zurückkam, schloß sie die Tür ab und fegte alles, was auf dem Tisch war, mit einem Arm zu Boden. Das hat einen Heidenlärm verursacht, aufgrund der Aluminiumtabletts.

Sie legte ihre Mappe hin und setzte sich mir gegenüber.

Ich habe das Teil aufgemacht und nur meine Hände gesehen.

Hunderte von Fotos in Schwarzweiß, die nichts anderes zeigten als meine Hände.

Meine Hände auf den Saiten der Gitarre, meine Hände, die sich ums Mikro schmiegen, meine Hände neben meinem Körper, meine Hände, die die Menge liebkosen, meine Hände, die hinter den Kulissen andere Hände drücken, meine Hände, die eine Zigarette halten, meine Hände, die mein Gesicht berühren, meine Hände, die Autogramme geben, meine fiebrigen Hände, meine Hände, die inständig bitten, meine Hände, die Kußhände verteilen, und auch meine Hände, die spritzen.

Große, hagere Hände mit Venen wie Wassergräben.

Ambre spielte mit einem Flaschendeckel. Zerdrückte Krümel.

Ist das alles? habe ich sie gefragt.

Zum ersten Mal habe ich ihr länger als eine Sekunde in die Augen geschaut.

Bist du enttäuscht?

Ich weiß nicht.

Ich habe deine Hände gewählt, weil sie das einzige an dir sind, was nicht kaputt ist.

Meinst du?

Sie nickte mit dem Kopf, und ich sog den Duft ihrer Haare ein.

Und mein Herz?

Sie hat mir zugelächelt und sich über den Tisch gebeugt.

Ist es denn nicht kaputt, dein Herz? hat sie gefragt und leicht skeptisch geguckt.

Hinter der Tür waren Gelächter und leichte Faustschläge zu hören. Ich erkannte Luis' Stimme, der brüllte: »Wirr brrauchen Eiswirrfel!«

Muß man mal sehen, habe ich gesagt.

Es schien, als wollten die Idioten die Tür eindrücken.

Sie hat ihre Hände auf meine gelegt und hat sie angeschaut, als sähe sie sie zum ersten Mal. Und dann hat sie gesagt:

Ja, muß man mal sehen.

Auf Heimaturlaub

Bei allem, was ich mache, denke ich an meinen Bruder, und immer wenn ich an meinen Bruder denke, wird mir klar, daß er sich dabei besser angestellt hätte.

Das ist schon seit dreiundzwanzig Jahren so.

Man kann auch nicht wirklich sagen, daß es mich verbittert, nein, ich sehe einfach nur klarer.

Jetzt, zum Beispiel, befinde ich mich im EC 1458 aus Nancy. Ich bin auf Heimaturlaub, dem ersten seit drei Monaten.

Na ja, allein schon, daß ich meinen Militärdienst als einfacher Infanterist absolviere, wo mein Bruder gleich Reserveoffiziersanwärter wurde, immer am Tisch der Offiziere speisen durfte und jedes Wochenende nach Hause kam. Lassen wir das.

Kehren wir zum Zug zurück. Als ich an meinen Platz komme (den ich in Fahrtrichtung reserviert hatte), sitzt dort eine Frau und hat ihren ganzen Häkelkram auf den Knien ausgebreitet. Ich traue mich nicht, was zu sagen. Ich setze mich ihr gegenüber, nachdem ich meinen riesigen Seesack ins Gepäcknetz gehievt habe. In meinem Abteil sitzt auch ein ganz goldiges Mädchen, das einen Roman über Ameisen liest. Sie hat einen Pickel im Mundwinkel. Schade, sonst wäre sie gar nicht übel.

Ich war gerade im Speisewagen und habe mir ein Sandwich geholt.

Und so wäre es abgelaufen, wenn mein Bruder an meiner Stelle gewesen wäre: Er hätte sein charmantestes Lächeln aufgesetzt und der Frau seine Reservierung gezeigt, entschuldigen Sie, Madame, vielleicht ist es ja ein Irrtum meinerseits, aber es sieht so aus, als ob ... Und sie hätte sich vor Entschuldigungen bald überschlagen, hätte ihre ganze Wolle in die Tasche gestopft und wäre sofort aufgesprungen.

Wegen dem Sandwich hätte er bei dem Typen einen kleinen Aufstand geprobt und gesagt, daß man bei 28 Franc ja wohl eine dickere Scheibe Schinken erwarten könne, und der Kellner mit seiner lächerlichen schwarzen Weste hätte ihm auf der Stelle ein anderes Sandwich gegeben. Ich weiß das, ich habe ihn schon in Aktion erlebt.

Auch mit dem Mädchen wäre es anders abgelaufen. Er hätte sie auf eine Art angesehen, daß sie ziemlich bald gemerkt hätte, er interessiert sich für sie.

Und gleichzeitig hätte sie gewußt, daß er ihren kleinen Furunkel bemerkt hatte. Und sie hätte sich kaum noch auf ihre Ameisen konzentrieren können und hätte sich im Falle eines Falles nicht sonderlich geziert.

Natürlich nur, wenn er sich wirklich für sie interessiert hätte.

Denn Unteroffiziere reisen auf jeden Fall erster Klasse, und es ist nicht gesagt, daß die Mädchen in der ersten Klasse Pickel haben.

Ich habe nie erfahren, ob die Kleine auf meine Springerstiefel und meinen Radikalschnitt abgefahren wäre, ich bin nämlich fast sofort eingeschlafen. Sie hatten uns heute morgen mal wieder um vier geweckt, um uns irgendwelche bescheuerten Manöver machen zu lassen.

Marc, mein Bruder, hat seinen Militärdienst nach dem Grundstudium absolviert, bevor er auf der Technischen Hochschule anfing. Er war damals zwanzig.

Ich mache ihn nach meinem Fachhochschulabschluß und bevor ich mir eine Arbeit in der Elektronikbranche suche. Ich bin dreiundzwanzig.

Übrigens habe ich morgen Geburtstag. Meine Mutter hat darauf bestanden, daß ich nach Hause komme. Ich bin nicht so versessen auf Geburtstagsfeiern, dafür sind wir mittlerweile zu alt. Na ja, es ist ihretwegen.

Sie lebt allein, seit mein Vater an ihrem neunzehnten Hochzeitstag mit der Nachbarin durchgebrannt ist. Aus symbolischer Sicht war das ein harter Schlag.

Ich begreife nicht ganz, warum sie sich nicht wieder jemanden gesucht hat. Das hätte sie längst machen können und könnte es eigentlich immer noch – ich weiß nicht. Mit Marc habe ich einmal darüber gesprochen, und wir waren uns einig, daß sie mittlerweile Angst hat. Sie will nicht riskieren, noch einmal verlassen zu werden. Eine Zeitlang haben wir auf sie eingeredet, damit sie sich in so einem Singleclub einschreibt, aber das wollte sie nicht.

Seitdem hat sie zwei Hunde und eine Katze aufgelesen, na ja, das war's dann, mit der Menagerie ist es *mission impossible*, einen anständigen Kerl zu finden.

Wir wohnen in Essonne in der Nähe von Corbeil, in einem kleinen Bungalow an der Route Nationale 7. Ganz okay dort, es ist ziemlich ruhig.

Mein Bruder redet nie von Bungalow, er spricht immer von unserem Haus. Er behauptet, das Wort Bungalow klinge provinziell. Mein Bruder wird nie darüber hinwegkommen, daß er nicht in Paris geboren ist.

Paris. Er hat nur dieses Wort im Mund. Ich glaube, der schönste Tag in seinem Leben war, als er sich die erste Monatskarte für Paris gekauft hat, fünf Zonen. Mir ist es einerlei, Paris oder Corbeil.

Eins der wenigen Dinge, die ich von der Schule noch behalten habe, war die Theorie eines großen Philosophen der Antike, der gesagt hat, daß nicht der Ort wichtig ist, an dem man sich befindet, sondern die geistige Verfassung.

Ich weiß noch, daß er das an einen seiner Kumpels geschrieben hat, der total down war und abhauen wollte. Grob gesagt hat er ihm erzählt, daß es sich nicht lohnt, da er seinen Packen Scheiße auch weiterhin mit sich herumschleppen würde. An dem Tag, an dem unser Lehrer uns das erzählt hat, hat sich mein Leben verändert.

Das ist einer der Gründe, weshalb ich mir einen handwerklichen Beruf gesucht habe.

Mir ist es lieber, wenn meine Hände nachdenken. Das ist einfacher.

Bei der Armee hast du mit einem ganzen Haufen Deppen zu tun. Ich lebe mit Typen zusammen, von deren Existenz ich nicht einmal etwas geahnt hatte. Ich schlafe mit ihnen, ich wasche mich mit ihnen, ich futtere mit ihnen, ich amüsiere mich mit ihnen, manchmal spiele ich sogar Karten mit ihnen, und doch kotzt mich alles an ihnen an. Es geht nicht darum, daß ich versnobt bin oder so, es ist nur so, daß diese Typen nichts haben. Ich rede nicht von Feingefühl, nein, das wäre eine Beleidigung, ich rede von Gewicht.

Mir ist klar, daß ich mich ungeschickt ausdrücke, aber ich weiß, was ich meine; wenn du einen dieser Typen nimmst und ihn auf die Waage stellst, hat er natürlich Gewicht, aber er wiegt nichts.

Sie haben nichts an sich, was man als Substanz bezeichnen könnte. Wie bei einem Geist kannst du mit dem Arm durch sie hindurchfassen, und du wirst nichts als lärmende Leere spüren. Sie werden behaupten, daß du eine fängst, wenn du durch sie hindurchfaßt. Ha ha.

Am Anfang konnte ich wegen dem ganzen Gefuchtel und ihrem unglaublichen Geblubber nicht schlafen, aber jetzt habe ich mich daran gewöhnt. Es heißt, daß die Armee einen Menschen verändert, mich persönlich hat die Armee noch pessimistischer gemacht als vorher.

So bald werde ich nicht imstande sein, an einen Gott oder etwas Höheres zu glauben, denn es kann einfach nicht sein, daß absichtlich erschaffen wurde, was ich täglich in der Kaserne von Nancy-Bellefond zu Gesicht bekomme.

Witzig, ich stelle fest, daß ich mehr nachdenke, wenn ich im Zug oder im R.E.R. sitze. Hat die Armee also doch ihr Gutes ...

Wenn ich an der *Gare de l'Est* ankomme, hoffe ich insgeheim immer, daß mich jemand abholt. Das ist bescheuert. Auch wenn ich genau weiß, daß meine Mutter um diese Zeit noch bei der Arbeit ist und daß Marc nicht der Typ ist, durch die ganze Banlieue zu rasen, um meine Tasche zu schleppen, habe ich immer diese blödsinnige Hoffnung.

Auch diesmal hat sie mich erwischt. Bevor ich die Rolltreppe hinunterfahre, um die Metro zu nehmen, sehe ich mich ein letztes Mal um, für den Fall, daß jemand da wäre. Und wie jedesmal kommt mir meine Tasche auf der Rolltreppe noch schwerer vor.

Ich wünsche mir, daß irgendwo jemand auf mich wartet. Das ist doch nicht zuviel verlangt.

Genug jetzt, es ist Zeit, daß ich nach Hause fahre und mir mit Marc eine ordentliche Schlägerei liefere, denn allmählich denke ich ein bißchen zuviel nach, und bald brennt bei mir eine Sicherung durch. In der Zwischenzeit kann ich auf dem Bahnsteig eine qualmen. Das ist verboten, ich weiß, aber sollen sie mich nur anmachen, dann werde ich ihnen meinen Militärausweis vor die Nase halten.

Ich arbeite für den Frieden, Mössiö! Bin um vier Uhr aufgestanden für unser Frankreich, Madamm.

Kein Mensch am Bahnhof von Corbeil – das ist echt die Härte. Vielleicht haben sie vergessen, daß ich heute abend ankomme.

Ich werde zu Fuß gehen. Ich habe von öffentlichen Verkehrsmitteln die Schnauze voll. Von allen öffentlichen Dingen habe ich die Schnauze voll, glaube ich.

Ich begegne ein paar Typen von hier, mit denen ich zur Schule gegangen bin. Sie reißen sich nicht darum, mir die Hand zu geben, klar, ein Rekrut, das ist nicht gerade chic.

Bei der Kneipe an der Ecke zu meiner Straße mache ich halt. Hätte ich weniger Zeit in dieser Kneipe verbracht, wäre die Gefahr geringer, daß ich in sechs Monaten beim Arbeitsamt stempeln gehen muß. Es hat eine Zeit gegeben, da habe ich mehr Zeit hinter dem Flipper hier verbracht als auf der Schulbank. Ich habe bis um fünf gewartet, und wenn dann die anderen eintrudelten, die den ganzen Tag das Gelaber der Lehrer hatten über sich ergehen lassen müssen, habe ich ihnen meine Bonusspiele verkauft. Für sie war es ein guter Deal: Sie haben den halben Preis bezahlt und bekamen die Chance, ihre Initialen auf die Ehrentafel zu katapultieren.

Alle waren zufrieden, und ich habe mir meine ersten Glimmstengel gekauft. Ich schwöre dir, damals habe ich geglaubt, ich sei der King. Der King der Narren, jawohl.

Der Wirt begrüßt mich:

»Na? Immer noch beim Militär?«

»Jaaa.«

»Gut so!«

»Jaaa …«

»Komm mich doch mal besuchen, nach Feierabend, damit wir uns ein bißchen unterhalten können, muß dir sagen, ich selbst bin bei der Legion gewesen, das war eine völlig andere Kiste. Uns hätte man nicht einfach so nach Hause gelassen, für jeden Scheiß – soviel ist sicher.«

Und los geht's, schon zieht der Tresen mit alkoholisierten Erinnerungen in den Krieg.

Die Legion …

Ich bin müde. Ich habe genug auf dem Buckel mit meinem Sack, der mir in die Schultern schneidet, und dem Boulevard, der kein Ende nehmen will. Als ich zu Hause ankomme, ist das Tor verschlossen. Verflucht, das hat mir noch gefehlt. Am liebsten würde ich auf der Stelle anfangen zu flennen.

Ich bin seit vier Uhr auf den Beinen, bin in stinkenden Waggons durch halb Frankreich gefahren, jetzt reicht's ein für allemal, meinen Sie nicht auch?

Die Hunde erwarten mich. Mit Bozo, der vor Freude jault, und Micmac, der drei Meter hoch springt, kommt Freude auf. Das nenn ich einen Empfang!

Ich werfe meinen Sack über das Tor und klettere über die Mauer wie früher, als ich noch Mofa gefahren bin. Die beiden Hunde fallen über mich her, und zum ersten Mal seit Wochen geht es mir besser. Es gibt also doch noch Lebewesen, die mich mögen und auf diesem kleinen Planeten auf mich warten. Hierher, ihr zwei. Ja, guter Hund, ein guter Hund bist du.

Im Haus brennt kein Licht.

Ich stelle den Seesack auf den Fußabstreifer, öffne ihn und mache mich auf die Suche nach meinem Schlüssel, der ganz unten unter Bergen von dreckigen Socken versteckt liegt.

Die Hunde springen vor mir her, und ich drücke auf den Lichtschalter im Flur – kein Strom.

O Schschscheiße. O Scheiße.

In dem Augenblick höre ich diesen Blödmann von Marc:

»He, du könntest etwas höflicher sein vor deinen Gästen.«

Es ist immer noch dunkel. Ich antworte:

»Was soll der Scheiß?«

»Mensch, du bist unverbesserlich, zweite Klasse, Junge. Keine Flüche mehr, habe ich gesagt. Wir sind hier nicht in der Kaserne von Ploucville, also paß auf, was du sagst, sonst laß ich das Licht aus.«

Er macht das Licht an.

Das fehlte noch. Meine ganzen Kumpels und die Familie sind im Wohnzimmer versammelt, ein Glas in der Hand, und singen unter irgendwelchen Girlanden »Happy birthday«.

Meine Mutter sagt:

»Komm schon, mein Junge, stell die Tasche ab.«

Und sie bringt mir ein Glas.

Es ist das erste Mal, daß ich so was erlebe. Ich muß bescheuert aussehen mit meinem dämlichen Gesichtsausdruck.

Ich gebe allen die Hand, und meine Großmutter und meine Tanten bekommen Küßchen.

Als ich zu Marc komme, würde ich ihm am liebsten eine in die Fresse hauen, aber er hat ein Mädchen bei sich. Er hat sie um die Taille gefaßt. Und ich weiß auf den ersten Blick, daß ich in sie verliebt bin.

Ich boxe ihm gegen die Schulter und frage meinen Bruder, während ich mit dem Kinn auf sie zeige:

»Ist das mein Geschenk?«

»Du träumst wohl, du Knallkopp«, antwortet er.

Ich sehe sie immer noch an. Plötzlich fängt in meinem Bauch was an zu flattern. Es tut weh, und sie sieht gut aus.

»Erkennst du sie nicht?«

»Nein.«

»Aber das ist doch Marie, die Freundin von Rebecca.«

»???«

Sie sagt:

»Wir waren zusammen im Ferienlager. Bei *Les Glénans,* erinnerst du dich nicht?«

»Nee, sorry.« Ich schüttele den Kopf und lasse sie stehen. Ich hole mir was zu trinken.

Und wie ich mich erinnere. Der Segelkurs, ich habe noch heute Alpträume davon. Mein Bruder immer Erster, der Liebling der Betreuer, braungebrannt, muskulös, cool. Nachts hat er das Buch gelesen und an Bord sofort alles kapiert. Mein Bruder, der ins Trapez stieg und brüllend über den Wellen schwebte. Mein Bruder, der niemals den Halt verlor.

Und all die Mädchen mit ihren Stielaugen und den kleinen Brüsten, die an nichts anderes dachten als an die Fete vom Vorabend.

All die Mädchen, die mit dem Filzstift ihre Adresse auf seinen Arm schrieben, im Bus, als er vorgab zu schlafen. Und die vor ihren Eltern heulten, als sie sahen, wie er sich entfernte und auf unseren R4 zulief.

Und ich – der ich seekrank geworden war.

An Marie kann ich mich noch gut erinnern. Einmal erzählte sie den anderen, wie sie ein Liebespaar überrascht hatte, das sich am Strand abknutschte, und daß sie gehört hatte, wie der Slip des Mädchens knallte.

»Wie hat sich das angehört?« fragte ich, um sie in Verlegenheit zu bringen.

Und sie, sie sieht mir ungeniert in die Augen, faßt ihren

Slip durch den Kleiderstoff hindurch, zieht ihn weg und läßt ihn wieder los.

Klack.

»So«, antwortet sie und sieht mich dabei die ganze Zeit an.

Ich war damals elf.

Marie.

Und wie ich mich erinnere. Klack.

Je später der Abend wurde, um so weniger wollte ich von der Armee erzählen. Je weniger ich sie ansah, um so mehr Lust bekam ich, sie zu berühren.

Ich trank zuviel. Meine Mutter warf mir böse Blicke zu.

Mit zwei oder drei Kumpels von der Fachhochschule bin ich raus in den Garten. Wir sprachen über Videos, die wir uns ausleihen wollten, und über Autos, die wir uns nie würden leisten können. Michaël hatte in seinen Peugeot 106 eine Superanlage eingebaut.

Fast zehntausend Mäuse, um Techno zu hören.

Ich habe mich auf die schmiedeeiserne Bank gesetzt. Von der meine Mutter will, daß ich sie jedes Jahr streiche. Sie sagt, das erinnert sie an die Tuilerien.

Ich habe eine Zigarette geraucht und dabei die Sterne betrachtet. Ich kenne nicht viele. Sobald ich die Gelegenheit habe, suche ich sie. Ich kenne vier Stück.

Noch etwas aus diesem Buch der Segelschule, das ich nicht behalten habe.

Ich habe sie von weitem kommen sehen. Sie hat mir zugelächelt. Ich habe ihre Zähne und ihre Ohrringe betrachtet.

Sie hat sich neben mich gesetzt und gefragt:

»Darf ich?«

Ich habe nichts geantwortet, ich hatte schon wieder Bauchschmerzen.

»Stimmt es, daß du dich nicht an mich erinnerst?«

»Nein, das stimmt nicht.«

»Du erinnerst dich also?«

»Ja.«

»Woran erinnerst du dich?«

»Ich erinnere mich, daß du zehn warst, daß du eins neunundzwanzig groß warst, daß du 26 Kilo gewogen hast und daß du im Jahr zuvor Mumps hattest, ich erinnere mich an den Arztbesuch. Ich erinnere mich, daß du in Choisy-le-Roi gewohnt hast und daß es mich damals 42 Franc gekostet hat, mit dem Zug zu dir rauszufahren. Ich erinnere mich, daß deine Mutter Catherine hieß und dein Vater Jacques. Ich erinnere mich, daß du eine Wasserschildkröte hattest, die Candy hieß, und deine beste Freundin hatte ein Meerschweinchen, Anthony. Ich erinnere mich, daß du einen grünen Badeanzug hattest mit weißen Sternchen drauf und daß deine Mutter dir sogar einen Bademantel genäht hatte, auf den dein Name gestickt war. Ich erinnere mich, daß du einmal morgens geweint hast, weil keine Briefe für dich gekommen waren. Ich erinnere mich, daß du dir am Abend der Party Flitterblättchen auf die Wangen geklebt hast und daß du mit Rebecca etwas vorgeführt hast, auf die Musik von *Grease* …«

»Alle Achtung, das ist ja unglaublich, was für ein Gedächtnis du hast!!!«

Sie ist noch hübscher, wenn sie lacht. Sie lehnt sich zurück. Sie reibt sich mit den Händen die Arme, um sich aufzuwärmen.

»Hier«, sage ich und ziehe meinen dicken Pulli aus.

»Danke, und du? Du wirst jetzt frieren?!«

»Mach dir keine Sorgen um mich.«

Sie sieht mich an, und ihr Blick hat sich verändert. Jedes x-beliebige Mädchen hätte jetzt kapiert, was sie gerade kapiert hat.

»Woran erinnerst du dich noch?«

»Ich erinnere mich noch, daß du einmal abends vor dem Bootshaus mit den Optimisten gesagt hast, daß mein Bruder ein Angeber sei.«

»Ja, das stimmt, das habe ich gesagt, und du hast mir geantwortet, es sei nicht wahr.«

»Weil es nicht wahr ist. Marc fliegt fast alles zu, aber er ist kein Angeber. Er macht die Dinge einfach, das ist alles.«

»Du hast deinen Bruder immer verteidigt.«

»Na ja, er ist mein Bruder. Im übrigen scheinst du mittlerweile nicht mehr allzuviel an ihm auszusetzen zu haben, oder?«

Sie ist aufgestanden und hat mich gefragt, ob sie meinen Pulli behalten darf.

Ich habe zurückgelächelt. Trotz dem ganzen Sumpf und all dem Elend, mit dem ich rang, war ich glücklicher als je zuvor in meinem Leben.

Meine Mutter kam zu mir, als ich noch dasaß und dämlich grinste. Sie teilte mir mit, sie werde jetzt aufbrechen, um bei Großmutter zu schlafen, die Mädchen sollten im einen Zimmer schlafen und die Jungs im anderen …

»Mensch, Mutter, ist schon gut, wir sind doch keine Kinder mehr.«

»Und vergiß nicht nachzusehen, ob die Hunde im Haus sind, bevor du abschließt, und …«

»Mensch, Mutter …«

»Ich darf mir ja wohl noch Sorgen machen, ihr trinkt alle wie die Löcher, und du siehst aus, als wärst du stockbesoffen.«

»Das heißt nicht besoffen, Mama, das heißt ›knülle‹. Du siehst, ich bin knülle.«

Schulterzuckend ist sie gegangen.

»Zieh dir wenigstens was über, du holst dir sonst den Tod.«

Ich habe noch drei Zigaretten geraucht, um Zeit zum Nachdenken zu haben, dann bin ich zu Marc gegangen.

»He!«

»Was ist?«

»Marie.«

»Ja?«

»Die läßt du mir.«

»Nein.«

»Ich hau dir eine in die Fresse.«

»Nein.«

»Warum nicht?«

»Weil du heute abend zuviel getrunken hast und ich meine Engelsvisage am Montag bei der Arbeit brauche.«

»Warum?«

»Weil ich ein Referat über die Inzidenz von Flüssigkeiten bei einer bestimmten Ausdehnung halten muß.«

»Ach so?«

»Ja.«

»Sorry.«

»Macht nichts.«

»Und Marie?«

»Marie gehört mir.«

»Das ist nicht gesagt.«

»Woher willst du das wissen?«

»Tja! Der sechste Sinn des Artilleristen.«

»Daß ich nicht lache.«

»Hör zu, ich bin blockiert, ich krieg nichts mehr auf die Reihe. So ist es halt, ich bin blöd, ich weiß. Aber wir müssen eine Lösung finden, zumindest für heute abend, okay?«

»Ich denk drüber nach.«

»Beeil dich, bald bin ich zu abgefüllt.«

»Beim Tischfußball ...«

»Was?«

»Wir spielen Tischfußball um sie.«

»Wie galant von dir.«

»Das bleibt unter uns, du Möchtegern-Gentleman, der anderen die Miezen wegnehmen will.«

»Okay. Und wann?«

»Jetzt. Im Keller.«

»Jetzt??!«

»*Yes sir.*«

»Ich komm gleich, ich mach mir nur noch einen Kaffee.«

»Machst du mir auch einen, bitte?«

»Kein Problem. Ich pisse auch gern rein.«

»Dreckskerl.«

»Wärm dich schon mal auf. Sag ihr schon mal tschüß.«

»Verrecken sollst du.«

»Nur zu, halb so schlimm, ich werd sie schon trösten.«

»Von wegen.«

Über der Spüle haben wir unseren kochendheißen Kaffee getrunken. Marc ist als erster nach unten gegangen. In der Zwischenzeit habe ich meine Hände in ein Päckchen Mehl getaucht. Ich mußte an meine Mutter denken, wenn sie uns früher panierte Schnitzel machte!

Jetzt muß ich pinkeln, so ein Mist. Ihn mit zwei Cordon-bleu-Stücken halten – große Klasse.

Bevor ich die Treppe runter bin, habe ich sie mit den Augen gesucht, um mich zu stärken, auch wenn ich beim Flipper ein Tier bin, Tischfußball ist eher das Terrain meines Bruders.

Ich habe unter aller Kanone gespielt. Statt mich am Schwitzen zu hindern, hat das Mehl an meinen Fingerspitzen weiße Klümpchen gebildet.

Außerdem sind Marie und die anderen nach unten gekommen, als es sechs zu sechs stand, und von dem Moment

an war es vorbei. Ich habe sie hinter meinem Rücken gespürt, und meine Hände rutschten von den Griffen. Ich habe
ihr Parfum gerochen und vergaß meine Angreifer. Ich habe
ihre Stimme gehört und kassierte ein Tor nach dem anderen.

Als mein Bruder die Anzeige auf seiner Seite auf zehn stellte, konnte ich endlich meine Hände an den Oberschenkeln
abwischen. Meine Jeans war ganz weiß.

Marc hat mich angesehen, aufrichtig betrübt, der Fies-
ling. Herzlichen Glückwunsch zum Geburtstag, habe ich
gedacht.

Die Mädchen wollten sich schlafen legen und baten uns,
ihnen ihr Zimmer zu zeigen. Ich habe gesagt, ich würde
mich auf das Sofa im Wohnzimmer legen, um in aller Ruhe
die Flaschenreste austrinken zu können, und es soll mich ja
niemand stören.

Marie hat mich angesehen, und ich dachte: Wenn sie jetzt
eins neunundzwanzig groß wäre und sechsundzwanzig Kilo
wiegen würde, könnte ich sie in meine Jacke packen und
überallhin mitnehmen.

Und dann ist es im Haus still geworden. Die Lichter gingen
eins nach dem anderen aus, und es war nur noch hie und da
ein Glucksen zu hören.

Ich habe mir vorgestellt, daß Marc und seine Kumpels
sich wie die Idioten benahmen und an ihrer Tür kratzten.

Ich pfiff die Hunde herbei und schloß die Haustür ab.

Ich konnte nicht einschlafen. Natürlich nicht.

Ich habe im Dunkeln eine Zigarette geraucht. Im Zimmer
war nichts zu sehen als ein kleiner roter Punkt, der sich von
Zeit zu Zeit bewegte. Und dann hörte ich ein Geräusch. Wie
knisterndes Papier. Zuerst habe ich gedacht, es sei einer der
Hunde, der etwas anstellt, und habe gerufen:

»Bozo? – Micmac? –«

Keine Antwort, statt dessen wurde das Geräusch immer lauter, und außerdem war noch ein ratsch, ratsch zu hören, als würde jemand Tesafilm abreißen.

Ich habe mich aufgerichtet und den Arm ausgestreckt, um das Licht anzumachen.

Ich glaube, ich träume. Marie steht nackt im Zimmer und wickelt ihren Körper in Geschenkpapier ein. Sie hat blaues Papier auf der linken Brust, Silberpapier auf der rechten Brust und ein Geschenkband um den Arm. Das Packpapier, in dem der Motorradhelm eingepackt war, den meine Oma mir geschenkt hat, dient ihr als Lendenschurz.

Halbnackt tappt sie durch die Verpackungen, zwischen vollen Aschenbechern und dreckigen Gläsern hindurch.

»Was machst du da?«

»Sieht man das nicht?«

»Hmmm – nicht wirklich.«

»Hast du nicht bei deiner Ankunft gesagt, du wolltest ein Geschenk?«

Sie lächelte immer noch und wickelte sich rotes Geschenkband um die Taille.

Mit einem Sprung war ich auf den Beinen.

»Sachte, sachte!« habe ich gesagt. »Das hier ist mir zu verwickelt!«

Und während ich es sage, habe ich mich gefragt, ob »das hier ist mir zu verwickelt« heißen soll: Wickel deine Haut lieber aus und überlaß sie mir.

Oder ob »das hier ist mir zu verwickelt« heißen sollte: nicht so schnell, nicht nur, daß ich immer noch seekrank bin, ich fahre morgen auch wieder als einfacher Soldat nach Nancy, also, was soll's …

Die Meldung des Tages

Ich sollte mich lieber schlafen legen, aber ich kann es nicht.

Meine Hände zittern.

Ich glaube, es wäre gut, ich würde eine Art Bericht schreiben.

Das bin ich gewöhnt. Ich redigiere einen pro Woche, Freitagnachmittag, für Guillemin, meinen Vorgesetzten.

Dieses Mal wäre er für mich.

Ich sage mir: »Wenn du alles im Detail erzählst, wenn du dir richtig Mühe gibst, wirst du am Ende, wenn du alles noch einmal liest, vielleicht zwei Sekunden lang glauben können, daß der Blödmann in dieser Geschichte ein anderer ist als du, du könntest dich dann vielleicht objektiv beurteilen. Vielleicht.«

Soweit bin ich jetzt. Ich sitze vor meinem Laptop, den ich normalerweise für die Arbeit benutze, ich höre die Geschirrspülmaschine im Stockwerk tiefer.

Meine Frau und meine Kinder sind schon lange im Bett. Meine Kinder schlafen sicher, meine Frau sicher nicht. Sie wartet auf mich. Sie will es wissen. Ich denke, sie hat Angst, weil sie schon weiß, daß sie mich verloren hat. Frauen spüren so was. Aber ich kann nicht zu ihr gehen und mich schlafen legen, das weiß sie genau. Ich muß jetzt alles aufschreiben für diese zwei Sekunden, die so wichtig sein könnten, wenn es mir gelingt.

Ich werde von vorne anfangen.

Am 1. September 1995 wurde ich bei Paul Pridault eingestellt. Davor war ich bei der Konkurrenz, aber immer mehr Dinge haben mich gestört, wie zum Beispiel, daß die Spesen erst sechs Monate später bezahlt wurden, und so habe ich alles kurz entschlossen hingeschmissen.

Fast ein Jahr lang war ich arbeitslos.

Alle hatten geglaubt, ich würde verrückt werden, wenn ich mich nur zu Hause im Kreis drehen und auf einen Anruf der Zeitarbeitfirma warten würde, bei der ich mich gemeldet hatte.

Dabei wird mir diese Zeit immer in guter Erinnerung bleiben. Endlich konnte ich das Haus auf Vordermann bringen. Alles machen, worum mich Florence seit langem gebeten hatte: Ich habe alle Gardinenstangen aufgehängt, habe in der Abstellkammer eine Dusche eingebaut, habe mir eine Gartenfräse geliehen, den ganzen Garten umgegraben und dann einen neuen Rasen angelegt.

Am Nachmittag habe ich Lucas bei der Tagesmutter abgeholt und zusammen mit ihm seine große Schwester an der Schule. Ich habe ihnen heiße Schokolade gekocht. Kein Nesquik, sondern richtig angerührten Kakao, der auf ihren Gesichtern herrliche Schnurrbärte hinterließ. Später, im Badezimmer, haben wir uns erst im Spiegel betrachtet und sie dann abgeleckt.

Im Juni, als mir klar wurde, daß der Kleine nicht länger zu Madame Ledoux gehen würde, weil er jetzt das Kindergartenalter erreicht hatte, habe ich mich ernsthaft auf Arbeitssuche begeben, und im August habe ich was gefunden.

Bei Paul Pridault bin ich Handelsvertreter für den gesamten Westen. Paul Pridault ist ein großes Unternehmen rund ums Schweinefleisch. Eine Art Fleischerei, wenn Sie so wollen, nur in industriellem Maßstab.

Der Geniestreich des alten Pridault war sein Schinken im Geschirrtuch, der in ein echtes rotweißkariertes Geschirrtuch eingerollt ist. Selbstverständlich ist es ein Industrieschinken, der aus industriell gehaltenen Schweinen hergestellt wird, ganz zu schweigen von dem berühmten Bauerngeschirrtuch, das in China gefertigt wird, nichtsdestotrotz, damit ist er bekanntgeworden, und wenn Sie heute – alle Marktforschungen beweisen es – eine Hausfrau hinter ihrem Einkaufswagen fragen, woran sie bei Paul Pridault denkt, wird sie Ihnen antworten »den Schinken im Geschirrtuch«, und wenn Sie insistieren, werden Sie erfahren, daß der Schinken im Geschirrtuch natürlich besser ist als alle anderen, aufgrund seines authentischen Geschmacks.

Hut ab vor dem Künstler.

Wir schreiben Nettoumsätze von jährlich fünfunddreißig Millionen Franc.

Mehr als die halbe Woche verbringe ich hinter dem Steuer meines Dienstwagens. Einem schwarzen Peugeot 306 mit einem lustigen Schweinskopf an den Seiten.

Die Leute machen sich überhaupt keine Vorstellung vom Leben eines Berufsfahrers, eines Fernfahrers oder Vertreters.

Es ist, als gäbe es auf der Autobahn zwei Welten: die Spazierfahrer und wir.

Es ist ein Zusammenspiel von allem. Zuerst einmal die Beziehung zum eigenen Fahrzeug.

Angefangen vom Clio 1 L 2 bis hin zu den riesigen deutschen Sattelschleppern, sobald man einsteigt, ist man bei sich zu Hause. Da ist unser Geruch, unser Saustall, unser

Sitz, der die Form unseres Hinterns angenommen hat, womit man uns jedoch nicht allzusehr aufziehen sollte. Ganz zu schweigen vom CB-Funk, einem unendlich großen und mysteriösen Reich mit eigenen Codes, die nur wenige kapieren. Ich benutze ihn nicht viel, stelle ihn nur manchmal ganz leise, wenn sich was zusammenzubrauen droht.

Und dann alles rund ums Futtern. Die Gasthöfe vom *Cheval Blanc*, die Raststätten, die Angebote von *L'Arche*. Die Tagesgerichte, die Karaffen, die Tischtücher aus Papier. Die ganzen Gesichter, die einem über den Weg laufen und die man nie wiedersehen wird.

Und die Hintern der Bedienungen, die stets registriert, hoch gehandelt und aktualisiert werden, besser als im Guide Michelin. (Unter uns heißt er Guide Micheline).

Die Müdigkeit, die langen Strecken, die Einsamkeit, die Gedanken. Immer die gleichen, die stets ins Leere laufen.

Die Wampe, die langsam wächst, und auch die Nutten.

Ein ganzes Universum, das eine unüberwindliche Hürde aufbaut zwischen denen, die auf die Straße gehören, und den anderen.

Im großen und ganzen besteht meine Arbeit darin, sämtliche Niederlassungen abzufahren.

Ich stehe in Kontakt mit den Leitern der Lebensmittelabteilungen in mittleren und größeren Verbrauchermärkten. Gemeinsam entwickeln wir Strategien zur Einführung neuer Produkte, Verkaufsperspektiven und Informationsveranstaltungen rund um unsere Produktpalette.

Mir kommt es so vor, als würde ich mit einem hübschen Mädchen am Arm spazierengehen und ihre Reize und Vorzüge anpreisen. Als wollte ich eine gute Partie für sie finden.

Aber es geht nicht nur darum, sie unter die Haube zu bringen, man muß sich auch regelrecht um sie kümmern, und sobald sich die Gelegenheit dazu bietet, teste ich die

Verkäuferinnen und sehe nach, ob sie die Ware nach vorne legen, ob sie nicht billige Konkurrenzprodukte verkaufen, ob das Geschirrtuch auch schön auseinandergefaltet daliegt wie im Fernsehen, ob die Kaldaunenwürstchen in Aspik schwimmen, ob die Pasteten in richtigen, auf alt getrimmten Tonschüsseln angerichtet sind, ob die Würste aufgehängt sind, als sollten sie trocknen, ob und ob und ob …

Kein Mensch sieht diese ganzen Details, aber genau sie machen Paul Pridault aus.

Ich weiß, daß ich zuviel über meine Arbeit rede, das hier hat nichts mit dem zu tun, worüber ich eigentlich schreiben will.

In meinem Fall geht es um Schweine, aber ich könnte genausogut Lippenstifte verkaufen oder Schnürsenkel. Was mir gefällt, ist der Umgang mit Menschen, die Gespräche und daß ich herumkomme. Daß ich vor allem nicht in einem Büro eingesperrt bin und den ganzen Tag den Chef im Nacken habe. Wenn ich nur schon davon rede, wird mir ganz anders.

Am Montag, dem 29. September 1997, bin ich um Viertel vor sechs aufgestanden. Ich habe lautlos meine Sachen gepackt, damit meine Frau nicht mit mir schimpft. Danach blieb mir kaum Zeit zum Duschen, weil ich wußte, daß der Tank fast leer war, und ich die Gelegenheit nutzen wollte, um gleich den Reifendruck zu messen.

Meinen Kaffee habe ich an der Shell-Tankstelle getrunken. Ich hasse das. Wenn sich der Dieselgeruch mit dem von gezuckertem Kaffee mischt, wird mir immer ein bißchen übel.

Meinen ersten Termin hatte ich um halb neun in Pont-Audemer. Ich habe den Lageristen von Carrefour geholfen, einen neuen Verkaufsständer für unsere vakuumverpackten Produkte aufzustellen. Das ist eine Neuheit, die wir in Zusammenarbeit mit einem berühmten Chefkoch herausgebracht haben. (Man muß sich mal die Gewinne ansehen, die er dafür einstreicht, daß seine Visage und die Kochmütze auf der Verpackung abgelichtet sind, nun gut.)

Den zweiten Termin hatte ich um zehn Uhr im Gewerbegebiet von Bourg-Achard.

Ich war spät dran, vor allem bei dem Nebel, der auf der Autobahn herrschte.

Ich habe das Radio ausgemacht, weil ich nachdenken mußte.

Machte mir Sorgen wegen der bevorstehenden Besprechung, ich wußte, daß wir zusammen mit einem wichtigen Konkurrenten im Gespräch waren, das war eine große Herausforderung für mich. Fast hätte ich jetzt die Ausfahrt verpaßt.

Um eins hat mich ganz panisch meine Frau angerufen:

»Jean-Pierre, bist du's?«

»Na, wer denn sonst?«

»… Mein Gott – alles in Ordnung?«

»Warum fragst du?«

»Na, wegen dem Unfall! Seit zwei Stunden versuche ich dich auf dem Handy zu erreichen, aber es heißt, alle Leitungen seien belegt! Seit zwei Stunden mache ich mich verrückt! Ich habe mindestens zehn Mal bei dir im Büro angerufen! Aber Scheiße! Du hättest mich ja mal anrufen können, oder ist dir das alles egal?«

»Moment mal, wovon redest du eigentlich, wovon redest du eigentlich?«

»Von dem Unfall, der heute morgen auf der A 13 passiert ist. Wolltest du heute nicht die A 13 nehmen?«

»Was für ein Unfall?«

»Ich glaub, ich spinne!!! DU hörst doch den ganzen Tag *France Info*!!! Alle reden von nichts anderem. Sogar im Fernsehen! Von dem schrecklichen Unfall, der heute morgen in der Nähe von Rouen passiert ist.«

»...«

»Okay, machen wir Schluß, ich muß noch allerhand erledigen. Ich hab den ganzen Morgen nichts gemacht, hab mich schon als Witwe gesehen. Ich hab mich schon gesehen, wie ich eine Handvoll Erde ins Grab werfe. Deine Mutter hat mich angerufen, meine Mutter hat angerufen – du kannst dir vorstellen, was für ein Vormittag das war.«

»Tut mir leid – aber so weit ist es noch nicht! Du wirst noch ein bißchen warten müssen, bevor du meine Mutter los wirst.«

»Idiot.«

»...«

»...«

»He, Flo.«

»Ja?«

»Ich hab dich lieb.«

»Das sagst du mir nie.«

»Und was tu ich jetzt grade?«

»... Okay, bis heute abend. Ruf deine Mutter zurück, sonst geht *sie* dabei drauf.«

Um neunzehn Uhr habe ich mir die Lokalnachrichten angesehen. Die Hölle.

Acht Tote und sechzig Verletzte.

Autos wie Bierflaschen zermalmt.

Wie viele?

Fünfzig? Hundert?

Umgekippte und völlig ausgebrannte Laster. Dutzende von Rettungswagen. Ein Polizist, der von Leichtsinn, über-

höhter Geschwindigkeit, dem schon am Vortag angekündig-
ten Nebel und von einigen Leichen spricht, die noch nicht
identifiziert werden konnten. Verstörte Menschen, stumm,
tränenüberströmt.

Um zwanzig Uhr habe ich mir die Schlagzeilen im ersten
Programm angehört. Neun Tote bereits.
    Florence ruft aus der Küche.
    »Laß gut sein! Mach aus. Komm her.«

In der Küche habe ich mit ihr angestoßen. Um ihr eine
Freude zu machen, denn mein Herz war nicht ganz bei der
Sache.
    Im nachhinein kommt die Angst. Ich konnte nichts essen
und war angeschlagen wie ein Boxer kurz vorm k.o.

Da ich nicht einschlafen konnte, hat meine Frau ganz sanft
mit mir geschlafen.
    Um Mitternacht saß ich von neuem im Wohnzimmer. Ich
habe den Fernseher eingeschaltet, den Ton ausgestellt und
überall nach einer Zigarette gesucht.

Um halb eins habe ich den Ton ein wenig aufgedreht für die
letzten Nachrichten. Ich konnte den Blick nicht von dem
Blechhaufen wenden, der in beide Richtungen der Autobahn
verstreut lag.
    Was für ein Schwachsinn.
    Die Leute sind einfach zu blöd, dachte ich.
    Und dann tauchte ein Fernfahrer auf dem Bildschirm
auf. Er trug ein T-Shirt mit der Aufschrift *Le Castellet*. Sein
Gesicht werde ich nie mehr vergessen.

Heute abend in meinem Wohnzimmer sagte dieser Kerl:

»Klar war es neblig, und sicher sind die Leute zu schnell gefahren, aber diese ganze Scheiße wäre nicht passiert, wenn dieser Idiot nicht rückwärts gefahren wäre, um noch die Ausfahrt von Bourg-Achard zu nehmen. Von meinem Führerhaus aus konnte ich alles sehen, zwangsläufig. Neben mir die beiden sind auf die Bremse, und dann habe ich gehört, wie die anderen reingefahren sind, wie in Butter. Glauben Sie mir, wenn Sie können, im Rückspiegel habe ich nichts gesehen. Nichts. Nur weiß. Ich hoffe nur, daß dir das nicht den Nachtschlaf raubt, du Arsch.«

Das hat er zu mir gesagt. Zu mir.

Zu mir, Jean-Pierre Faret, nackt in meinem Wohnzimmer.

Das war gestern.

Heute habe ich alle Zeitungen gekauft. Auf Seite 3 im *Figaro* vom Dienstag, 30. September:

VERDACHT AUF VERKEHRSWIDRIGES
FAHRVERHALTEN

»Das verkehrswidrige Fahrverhalten eines Autofahrers, der am Autobahnkreuz von Bourg-Achard (Departement Eure) den Rückwärtsgang eingelegt haben soll, ist möglicherweise Auslöser einer Kette unglücklicher Umstände, der gestern morgen bei einer Massenkarambolage auf der A 13 neun Menschen zum Opfer gefallen sind. Der Fahrer hätte demnach den ersten Zusammenstoß in Richtung Paris ausgelöst sowie den anschließenden Brand eines Tankwagens. Die Flammen, die daraufhin die Aufmerksamkeit ablenkten ...«

Und auf Seite 3 des *Parisien*:

BESTÜRZENDE HYPOTHESE: VERKEHRSWIDRIGES
VERHALTEN EINES AUTOFAHRERS
»Mangelnde Vorsicht oder vielmehr das leichtsinnige Verhalten eines Autofahrers könnten Auslöser eines Dramas
sein, das gestern morgen zu dem unbeschreiblichen Trüm-
merhaufen geführt hat, aus dem auf der A13 neun Menschen
tot geborgen wurden. Der Polizei liegt in der Tat eine Zeu-
genaussage vor, wonach ein Autofahrer rückwärts gefahren
sein soll, um die Ausfahrt von Bourg-Achard zu nehmen,
rund zwanzig Kilometer vor Rouen. Im Bestreben, diesem
Auto auszuweichen, haben ...«

Und als wäre dies noch nicht genug:

»Im Bemühen, die Autobahn zu überqueren, um den Ver-
letzten zu Hilfe zu eilen, wurden weitere zwei Personen von
einem Wagen erfaßt und getötet. Innerhalb von nur zwei
Minuten waren hundert Autos, drei Lastwagen ...«
(*Libération*, vom gleichen Tag)

Nicht einmal zwanzig Meter, weniger als das, bloß ein biß-
chen über der durchgezogenen Linie.
Es hat nur Sekunden gedauert. Ich hatte es schon verges-
sen.
Mein Gott!
Ich weine nicht.

Um fünf Uhr morgens kam Florence zu mir ins Wohnzimmer, um mich zu holen.
Ich habe ihr alles erzählt. Natürlich.

Minutenlang saß sie da, ohne sich zu rühren, die Hände vorm Gesicht.

Sie sah zuerst nach rechts, dann nach links, als wollte sie nach Luft schnappen, dann sagte sie:

»Hör mir gut zu. Du erzählst nichts. Du weißt, daß sie dich sonst wegen fahrlässiger Tötung anklagen werden und du ins Gefängnis wanderst.«

»Ja.«

»Ja und? Ja und? Was würde das ändern? Es würde noch mehr Leben zerstören, und was würde es ändern?!«

Sie weinte.

»Für mich ist es ohnehin gelaufen. Mein Leben ist im Eimer.«

Sie schrie.

»Deins vielleicht, aber nicht das der Kinder! Nichts wirst du erzählen!«

Ich konnte nicht schreien.

»Wo wir schon von Kindern reden. Sieh ihn dir an. Sieh ihn dir genau an.«

Und ich hielt ihr die aufgeschlagene Zeitung hin, wo ein weinender Junge auf der A 13 zu sehen war.

Ein kleiner Junge, der sich von einem zur Unkenntlichkeit zertrümmerten Auto entfernt.

Ein Zeitungsfoto.

In der Rubrik »Meldungen des Tages«.

»Er ist so alt wie Camille.«

»Meine Güte, hör auf damit!!!« schreit meine Frau und packt mich am Kragen. »Hör auf mit der Scheiße, verflucht! Du hältst jetzt den Mund! Ich will dir eine Frage stellen. Eine einzige. Wozu soll es gut sein, wenn ein Kerl wie du ins Gefängnis wanderst? He, sag es mir, wozu soll das gut sein?!«

»Um sie zu trösten.«

Völlig am Ende ihrer Kräfte ist sie gegangen.

Ich hörte, wie sie sich im Badezimmer einschloß.

Heute morgen in ihrem Beisein habe ich den Kopf geschüttelt, aber jetzt, heute abend, in meinem stillen Haus, nur das Geräusch der Geschirrspülmaschine.

Ich bin verloren.

Ich werde nach unten gehen, ein Glas Wasser trinken und im Garten eine Zigarette rauchen. Danach werde ich wieder nach oben gehen, und ich werde alles am Stück durchlesen, um zu sehen, ob es mir hilft.

Aber ich glaube es nicht.

Catgut

Es war ganz anders geplant gewesen. Ich hatte auf eine Anzeige in »Der Tierarzt« geantwortet, wegen einer zweimonatigen Vertretung im August und September. Doch dann ist der Typ, der mich eingestellt hat, auf dem Rückweg aus dem Urlaub tödlich verunglückt. Zum Glück war sonst niemand im Auto.

Und ich bin geblieben. Ich habe sogar die Praxis gekauft. Die Kundschaft ist nicht schlecht. Die Normannen zahlen zwar ungern, aber sie zahlen.

Die Normannen sind wie alle Landeier, wenn sich eine Vorstellung erst mal hier oben festgesetzt hat – und eine Frau für die Tiere ist nicht gut. Zum Füttern, Melken oder um die Scheiße wegzumachen, okay. Aber für die Spritzen, das Kalben, die Koliken und Gebärmutterentzündungen, muß man erst mal sehen.

Und sie haben es gesehen. Nach monatelangem vorsichtigen Beäugen haben sie mir schließlich den obligatorischen Schluck am Küchentisch gegönnt.

Klar, morgens geht's noch. Da habe ich Sprechstunde in meiner Praxis. Die Leute bringen mir vor allem Hunde und Katzen. Zum Einschläfern. Den einen bringt man mir, weil der Vater sich nicht dazu durchringen kann und das Tier zu sehr leidet, den anderen, damit ich ihn gesund pflege, weil er ein guter Jagdhund ist, und seltener bringt man mir einen zum Impfen, das ist dann ein Pariser.

Echt ätzend waren am Anfang die Nachmittage. Die Hausbesuche. Die Ställe. Das Schweigen. Man muß sie erst mal bei der Arbeit sehen, dann kann man was sagen. Wieviel Mißtrauen und, ich kann's mir vorstellen, wieviel Spott hinter meinem Rücken. Ich habe mit meiner praktischen Arbeit und meinen sterilen Handschuhen in den Kneipen bestimmt für Heiterkeit gesorgt. Dazu heiße ich Haxe. Frau Doktor Haxe. Was für ein Gelächter.

Am Ende habe ich meine Vorlesungsskripte und alle Theorie vergessen und habe vor dem Vieh gekniet und auch geschwiegen, bis mir der Besitzer ein paar Brocken der Erklärung hingeworfen hat.

Und dann, und das ist vielleicht der Grund, weshalb ich immer noch da bin, habe ich mir ein paar Hanteln gekauft.

Wenn ich heute einem jungen Tierarzt, der sich auf dem Land niederlassen will, einen Rat geben sollte (was ich nicht glaube, nach allem, was passiert ist), würde ich sagen: Muskeln, viele Muskeln. Das ist das Allerwichtigste. Eine Kuh wiegt zwischen fünf- und achthundert Kilo, ein Pferd zwischen siebenhundert Kilo und einer Tonne. Das ist alles.

Stellen Sie sich eine Kuh vor, die beim Kalben Probleme hat. Natürlich ist es Nacht, es ist sehr kalt, der Stall ist dreckig, und es gibt fast kein Licht.

Gut.

Die Kuh leidet, der Bauer ist unglücklich, die Kuh ist sein täglich Brot. Wenn der Tierarzt teurer ist als das Fleisch, das auf die Welt kommen soll, fängt er an zu überlegen. Sie sagen:

»Das Kalb liegt quer. Man muß es drehen, dann kommt es von ganz allein.«

Es kommt Leben in den Stall, man hat den Großen aus dem Bett gezerrt, die Kleine ist ihm gefolgt. Wenn endlich mal was passiert.

Sie lassen das Tier festbinden. Ziemlich fest. Keine Tritte. Sie ziehen sich aus, behalten das T-Shirt an. Plötzlich ist es ganz kalt. Sie suchen einen Wasserhahn und waschen sich mit dem Stück Seife, das dort herumliegt, gründlich die Hände. Sie streifen die Handschuhe über, die Ihnen bis zur Achselhöhle gehen. Mit der linken Hand stützen Sie sich auf die riesige Vulva und legen los.

Sie suchen in der Tiefe der Gebärmutter nach dem Kalb von sechzig oder siebzig Kilo und drehen es um. Mit einer Hand.

Das dauert, aber Sie halten durch. Wenn Sie danach im Warmen einen kleinen Schluck Calvados trinken, um wieder zu Kräften zu kommen, denken Sie an Ihre Hanteln.

Ein andermal kommt das Kalb nicht raus, es muß geschnitten werden, und das wird teurer. Der Kerl sieht Sie an und entscheidet anhand Ihres Blicks. Ist Ihr Blick zuversichtlich und machen Sie eine Bewegung zum Auto hin, als wollten Sie nur schnell die notwendigen Utensilien holen, sagt er ja.

Lassen Sie Ihren Blick über die anderen Tiere schweifen und machen eine Bewegung, als wollten Sie gehen, sagt er nein.

Wieder ein andermal ist das Kalb schon tot, und die Färse soll keinen Schaden nehmen, also schneidet man es klein und holt die Stücke einzeln raus, alles mit Handschuh.

Danach fährt man nach Hause, aber das Herz ist nicht bei der Sache.

Die Jahre sind vergangen, und ich bin weit davon entfernt, meine Schulden getilgt zu haben, aber alles läuft korrekt.

Nach dem Tod des alten Villemeux habe ich seinen Bauernhof gekauft und ein bißchen hergerichtet.

Ich habe jemanden kennengelernt, aber er ist wieder gegangen. Wegen meiner Pranken, denke ich mir.

Ich habe zwei Hunde aufgenommen, der erste ist mir zugelaufen und hat sich bei mir wohl gefühlt, der zweite hat ziemlich was durchgemacht, bevor ich ihn adoptiert habe. Natürlich gibt der zweite den Ton an. In der Umgebung gibt es auch ein paar Katzen. Ich sehe sie nie, aber die Näpfe sind leer. Mein Garten gefällt mir, er ist ein bißchen verwildert, aber ich habe ein paar Rosen, die schon vor meiner Zeit da waren und keine Anforderungen an mich stellen. Sie sind sehr schön.

Letztes Jahr habe ich mir Gartenmöbel aus Teakholz gekauft. Ziemlich teuer, aber sie sollen lange halten.

Wenn sich die Gelegenheit bietet, gehe ich mit Marc Pardini aus, der in der Schule um die Ecke Lehrer für ich weiß nicht was ist. Wir gehen ins Kino oder essen. Er spielt vor mir den Intellektuellen, was mich amüsiert, aber ich bin tatsächlich ein richtiges Landei geworden. Er leiht mir Bücher und CDs.

Wenn sich die Gelegenheit bietet, schlafe ich mit ihm. Das ist immer gut.

Gestern nacht hat das Telefon geklingelt. Es waren die Billebaudes, der Bauernhof an der Straße nach Tianville. Der Kerl hat mir was von einem Notfall erzählt, es sei keine Zeit zu verlieren.

Ich brauche nicht zu sagen, wieviel Überwindung es mich gekostet hat. Ich hatte letztes Wochenende Notdienst und arbeite seit dreizehn Tagen ohne Unterbrechung. Ich habe ein bißchen mit meinen Hunden geredet. Irgendwelchen Blödsinn, nur um meine Stimme zu hören, und habe mir einen Kaffee gemacht, schwarz wie Tinte.

Als ich den Schlüssel aus dem Zündschloß zog, wußte ich mit einem Mal, daß es schiefgehen würde. Im Haus brannte kein Licht, aus dem Stall war nichts zu hören.

Ich habe an das Wellblechtor gehämmert und dabei einen Höllenlärm gemacht, wie um die Gerechten aus dem Schlaf zu reißen, aber es war zu spät.

Er sagte: Dem Arsch meiner Kuh geht's gut, aber wie geht's deinem? Fragt sich, ob du überhaupt einen Arsch hast? Es wird behauptet, daß du gar keine richtige Frau bist, sondern Eier hast, das erzählt man sich hier, damit du's weißt. Da wollten wir selber mal nachschauen, haben wir uns gesagt.

Und alles, was er sagte, brachte die beiden anderen zum Lachen.

Ich starrte auf ihre Fingernägel, die abgekaut waren bis aufs Blut. Meinst du, sie hätten mich auf einem Bündel Stroh genommen? Keineswegs, sie waren zu besoffen, um sich zu bücken, ohne zu fallen. In der Molkerei haben sie mich gegen einen eiskalten Bottich gedrückt. Dahinter ragte ein gebogenes Rohr heraus, das mir den Rücken zerquetscht hat. Es war ein Bild des Elends, zu sehen, wie sie sich mit ihrem Hosenschlitz abmühten.

Alles war ein Bild des Elends.

Sie haben mir furchtbar weh getan. Wenn ich das so sage, hört es sich nach gar nichts an, aber ich wiederhole noch mal für diejenigen, die mich nicht richtig verstanden haben: Sie haben mir furchtbar weh getan.

Den Typ von den Billebaudes hat die Ejakulation auf einen Schlag ernüchtert.

He ho, Frau Doktor, war ja nur Spaß, das Ganze, oder?

Es geht bei uns nicht oft so lustig zu, das müssen Sie verstehen. Das ist mein Schwager, der grad da ist und sein Leben als Junggeselle zu Grabe trägt, stimmt's Manu?

Manu schlief bereits, und Manus Kumpel war schon wieder am Picheln.

Klar, habe ich zu ihm gesagt, ja klar. Und habe sogar ein wenig mit ihm gelacht, bis er mir die Flasche hingehalten hat. Zwetschgenschnaps.

Der Alkohol hatte sie außer Gefecht gesetzt, ich habe dennoch allen dreien eine Dosis Ketamin verabreicht. Ich wollte nicht, daß sie zucken. Ich wollte es bequem haben.

Ich habe mir sterile Handschuhe übergezogen und alles desinfiziert.

Dann habe ich die Haut am Hodensack gespannt. Habe mit dem Skalpell einen kleinen Schnitt gemacht. Habe die Hoden rausgenommen. Habe geschnitten. Habe mit Catgut Nr. 3,5 die Nebenhoden und die Blutgefäße abgebunden. Habe dann alles wieder reingesteckt und zugenäht. Saubere Arbeit.

Dem Typ, der mich angerufen hatte und der am brutalsten war, weil er hier zu Hause ist, habe ich die Hoden am Adamsapfel festgenäht.

Es war schon fast sechs, als ich bei meiner Nachbarin vorbeikam. Madame Brudet, zweiundsiebzig, faltig, aber sehr wacker, ist schon seit Ewigkeiten auf.

»Ich werde für einige Zeit verreisen, Madame Brudet, und brauche jemanden, der auf meine Hunde und die Katzen aufpaßt.«

»Hoffentlich nichts Schlimmes?«

»Ich weiß es nicht.«

»Die Katzen gehen in Ordnung, auch wenn ich es nicht gut finde, daß sie zu sehr gemästet werden. Sie sollen Mäuse jagen. Die Hunde sind schon unangenehmer, weil sie so groß sind, aber wenn es nicht für sehr lange ist, kann ich sie zu mir nehmen.«

»Ich werde Ihnen einen Scheck ausstellen für das Futter.«

»In Ordnung. Legen Sie ihn hinter den Fernseher. Nichts Schlimmes, hoffentlich?«

»Mm – mm«, habe ich gemacht und gelächelt.

Jetzt sitze ich an meinem Küchentisch. Ich habe mir noch einen Kaffee gekocht und rauche eine Zigarette. Ich warte auf die Polizei.

Ich hoffe nur, daß sie nicht mit Martinshorn anrücken.

Junior

Er heißt Alexandre Devermont. Ein junger Mann, rosig und blond.

Vakuumverpackte Erziehung. Hundert Prozent Seife und Colgate Fluor S, kurzärmelige karierte Hemden und ein Grübchen am Kinn. Goldig. Sauber. Ein echtes Spanferkelchen.

Bald wird er zwanzig. Dieses deprimierende Alter, in dem man noch glaubt, alles sei möglich. Die vielen Chancen und Illusionen. Und auch die vielen Faustschläge ins Gesicht, die einem noch bevorstehen.

Nicht jedoch diesem jungen rosigen Mann. Das Leben hat ihm noch nie etwas getan. Kein Mensch hat ihm je die Ohren so langgezogen, daß es wirklich weh tat. Er ist ein guter Junge.

Seiner Mutter schwebt Großes vor. Sie meldet sich mit: »Hallo, hier ist Elisabeth Devermont«, wobei sie die erste Silbe abtrennt, de Vermont. Als hege sie noch die Hoffnung, jemanden täuschen zu können. Tatatata – für Geld kann man sich heute vieles kaufen, aber man kann sich nicht so ohne weiteres von schreiben.

Diese Art von Hochmut ist nicht mehr käuflich. Es ist wie mit Obelix, man muß hineinfallen, solange man klein ist. Das hält sie nicht davon ab, einen Siegelring zu tragen.

Aber was ist das für ein Siegel? frage ich mich. Eine Krone und jede Menge kleiner Lilien, dahinter ein Wappen. Die

Fleischerinnung von Frankreich verwendet das gleiche für ihren Gewerkschaftsbriefkopf, aber das weiß sie nicht. Uff.

Sein Vater hat das Familienunternehmen übernommen. Eine Firma, die Gartenmöbel aus weißem Plastik herstellt. Die bekannten Rofitexmöbel.

Zehn Jahre Garantie gegen Vergilbung unter egal welchen Witterungsbedingungen.

Natürlich riecht Kunststoff ein bißchen nach Camping und Prolo-Picknick. Teakholz wäre schon schicker gewesen, edle Bänke, die unter der hundert Jahre alten Eiche, die der Urgroßvater mitten auf dem Grundstück gepflanzt hat, im Laufe der Zeit eine hübsche Patina annehmen und von Flechten überzogen werden. Aber na ja, man muß nehmen, was einem hinterlassen wird, oder?

Apropos Möbel, ich habe leicht übertrieben, als ich vorhin behauptet habe, das Leben hätte unserem Junior nie etwas zuleide getan. O doch. Einmal, als er mit einem Mädchen aus gutem Hause tanzte, das dürr und reinrassig war wie ein englischer Setter, hat er seinen Teil abbekommen.

Während einer dieser mondänen Partys, die die Mütter mit enormem Kostenaufwand organisieren, damit ihre Sprößlinge sich nicht eines Tages an die Brüste einer Leïla oder einer Hannah wagen oder an irgendwas, das zu sehr nach Schwefel oder Tomatensauce riecht.

Er war also dabei, mit seinem Stehkragen und seinen feuchten Händen. Er tanzte mit diesem Mädchen und achtete peinlich darauf, daß er ihren Bauch nicht mit seinem Hosenlatz berührte. Er versuchte, sich ein bißchen in den Hüften zu wiegen und schlug mit den Eisenbeschlägen seiner Cowboystiefel den Takt. Ganz cool. Einen auf lässig machend und jung.

Und dann hat ihn die Kleine gefragt:

»Und was macht dein Vater beruflich?« (Das ist eine der

Fragen, die die Mädchen bei dieser Art von Tanzparty stellen.)

Gespielt zerstreut hat er ihr geantwortet und sie dabei um sich selber gedreht:

»Er ist Generaldirektor von Rofitex, ich weiß nicht, ob du die Firma kennst – zweihundert Angest ...«

Sie hat ihm nicht die Zeit gelassen, den Satz zu beenden. Abrupt hat sie aufgehört zu tanzen und hat ihre Setter-Augen aufgesperrt:

»Moment mal, Rofitex? Du meinst die – die – Präservative von Rofitex!!?«

Na also, das war doch die Höhe.

»Nein, die Gartenmöbel«, antwortete er, also wirklich, er hatte mit allem gerechnet, nur nicht mit so was. Also wirklich, was für ein bescheuertes Mädchen. Was war die bescheuert. Zum Glück war das Stück zu Ende, und er konnte zum Büfett gehen, um ein bißchen Champagner zu trinken und einmal zu schlucken. Also wirklich.

Das ist bestimmt keins der Mädchen, die dazugehören, das ist bestimmt eine, die sich eingeschlichen hat.

Zwanzig Jahre. Mein Gott.

*

Der kleine Devermont hat zwei Anläufe nehmen müssen, um das Abitur zu schaffen, nicht so beim Führerschein, da ging's. Den hat er gerade auf Anhieb bestanden.

Nicht wie sein Bruder, der ihn dreimal wiederholen mußte.

Beim Abendessen sind alle bester Laune. Es hätte leicht schiefgehen können, denn der hiesige Fahrprüfer war ein richtiger Idiot. Und ein Säufer obendrein. Wir sind hier auf dem Land.

Wie schon sein Bruder und seine Cousins vor ihm hat Alexandre den Führerschein in den Schulferien auf dem Anwesen seiner Großmutter gemacht, weil die Tarife in der Provinz niedriger sind. Fast tausend Franc Differenz bei einem Pauschalangebot.

Aber heute war der Säufer zum Glück fast nüchtern und hat den rosa Wisch unterschrieben, ohne sich aufzuspielen.

Alexandre darf in Zukunft den Golf seiner Mutter nehmen, vorausgesetzt, daß sie ihn nicht braucht, ansonsten kann er den alten Peugeot 104 haben, der in der Scheune steht. Wie die anderen.

Der ist durchaus in gutem Zustand, nur daß er nach Hühnerkacke riecht.

★

Die Ferien neigen sich dem Ende zu. Bald geht es zurück in die große Wohnung in der Avenue Mozart und in die »École de Commerce« in der Avenue de Saxe. Eine Schule, deren Diplom noch nicht staatlich anerkannt ist, die aber einen komplizierten Namen aus lauter Initialen hat: I.S.E.R.P. oder I.R.P.S. oder I.S.D.M.F. oder irgendwas in der Art. (Institut Selten Dämlicher Mother Fucker).

Unser Spanferkelchen hat sich in diesem Sommermonat ziemlich verändert. Er hat ein eher ausschweifendes Leben geführt und sogar angefangen zu rauchen.

Marlboro Light.

Aufgrund seines neuen Umgangs: Er hat an dem Sohn eines Großbauern einen Narren gefressen, Franck Mingeaut. Das ist vielleicht ein Typ. Gut bei Kasse, angeberisch, auffallend und laut. Der Alexandres Großmutter höflich be-

grüßt und gleichzeitig nach seinen kleinen Kusinen schielt.
Tz tz.

Franck Mingeaut ist froh, daß er Junior kennengelernt hat.
Durch ihn kriegt er Einblick in die mondäne Welt, darf auf
Feten, wo die Mädchen hübsch und schlank sind und der
familieneigene Champagner das billige Bier ersetzt. Sein In-
stinkt sagt ihm, daß er diesen Weg nehmen muß, um sich
einen Platz an der Sonne zu sichern. Die Hinterstübchen
der Kneipen, die hiesigen Landhühner, Billard und Land-
wirtschaftsmessen, eine Zeitlang ist das okay. Ein Abend bei
der Tochter von Graf Greifenklau in Schloß Greifeneck ist
hingegen sinnvoll eingesetzte Energie.

Junior Devermont ist froh über seinen Neureichen. Durch
ihn fährt er im Sportcabriolet in Höfen mit Rollsplitt vor,
rast über die Landstraßen der Touraine, zeigt den Bauern-
tölpeln den Vogel, damit sie mit ihrem R4 Platz machen,
und pfeift auf seinen Vater. Er hat sein Hemd um einen wei-
teren Knopf aufgemacht und sogar wieder seine Taufkette
angelegt, Stil: halbstarker Softy. Darauf stehen die Mädchen.

*

Heute abend findet DAS Fest des Sommers statt. Der Graf
und die Gräfin de La Rochepoucaut geben einen Empfang
für ihre jüngste Tochter Éléonore. Alles was Rang und Namen hat, wird dabeisein. Von Mayenne bis in die hinter-
letzte Ecke des Berry. Das reinste Who is Who. Junge un-
berührte Erbinnen, daß man die Straßen damit pflastern
könnte.

Geld. Nicht der Glanz, sondern der Geruch von Geld.
Dekolletés, milchweiße Haut, Perlenketten, ultraleichte Zi-

garetten und nervöses Lachen. Für Armband-Franck und Kettchen-Alexandre ist dies der große Abend.

Den man auf keinen Fall verpassen darf.

Für diese Leute bleibt ein reicher Landwirt stets ein Bauer und ein wohlerzogener Industrieller ein Händler. Ein Grund mehr, ihren Champagner zu trinken und ihre Töchter im Gebüsch zu bespringen. Nicht alle von den Mädels sind so scheu. Sie stammen in direkter Linie von Godefroy de Bouillon ab und haben nichts dagegen, den letzten Kreuzzug noch ein wenig weiter zu treiben.

Franck hat keine Einladungskarte, aber Alexandre kennt den Typ am Eingang, kein Problem, du steckst ihm hundert Mäuse zu, und er läßt dich durch, er kann auch noch deinen Namen bellen wie auf der Automobilausstellung, wenn dir danach ist.

Der große Haken ist das Auto. Das Auto ist entscheidend, um mit denen zur Sache zu kommen, die nicht auf das stachelige Gebüsch stehen.

Die Kleine, die noch nicht so früh nach Hause möchte, schickt ihren Papa heim und braucht einen Kavalier, der sie nach Hause bringt. In einer Gegend, in der die Leute zig Kilometer voneinander entfernt wohnen, bist du ohne Auto entweder ein eingefleischter Junggeselle oder noch unberührt.

Und hier wird die Situation jetzt kritisch. Franck hat seinen Wieselstaubsauger nicht zur Verfügung: zur Inspektion, und Alexandre kann das Auto seiner Mutter nicht haben: Sie ist damit nach Paris gefahren.

Was bleibt? Der himmelblaue Peugeot 104 mit Hühnerkacke auf den Sitzen und an den Wagentüren. Es liegt sogar Stroh auf dem Boden, und an der Windschutzscheibe klebt ein Aufkleber »Die Jagd ist ein Stück Natur«. Meine Güte, damit kann man sich doch nicht zeigen.

»Und dein Alter? Wo ist der?«

»Verreist.«

»Und seine Kiste?«

»Na ja, die ist da, warum?«

»Und warum ist die da?«

»Weil Jean-Raymond sie gründlich waschen soll.«

(Jean-Raymond ist der Wächter.)

»Mensch, das ist doch perfekt!!! Wir leihen uns die Kiste für den Abend aus und bringen sie anschließend wieder zurück. Und keiner hat was gesehen.«

»Nee, nee, Franck, das geht nicht. Das geht nicht.«

»Und warum nicht!?«

»He, wenn irgendwas damit ist, bringt er mich um. Nee, nee, das geht nicht.«

»Mensch, was soll denn damit sein, du Weichei? Was soll denn schon damit sein?«

»Nee, nee.«

»Hör auf mit deinem verfluchten ›Nee, nee‹, was willst du damit sagen? Es sind fünfzehn Kilometer hin und fünfzehn zurück. Die Straße ist kerzengerade, und um diese Zeit ist kein Schwein mehr unterwegs, wo ist das Problem? He? Sag schon!«

»Wenn irgendwas ist …«

»ABER WAS soll denn sein? He, WAS soll denn sein? Ich hab seit drei Jahren meinen Führerschein, und ich hab noch nie auch nur soviel gehabt, hörst du? Nicht soviel.«

Er schiebt den Daumen unter die Schneidezähne, als wollte er sie rausdrücken.

»Nee, nee, das geht nicht. Nicht den Jaguar von meinem Vater.«

»Verdammt, das darf doch nicht wahr sein, so dumm kann man doch nicht sein!«

»…«

»Und was machen wir jetzt??? Fahren wir zu den ver-fluchten Roche-pou-irgendwas mit deinem rollenden Hüh-nerstall?«

»Na ja.«

»Moment mal, sollten wir nicht auch noch deine Kusine mitnehmen und ihre Freundin in Saint-Chinan abholen?«

»Ja – doch.«

»Glaubst du denn, die beiden setzen sich mit ihren hüb-schen Ärschen auf deine vollgeschissenen Sitze??!«

»Na ja, eher nicht.«

»Na also! Wir nehmen die Karre von deinem Vater, fahren gemütlich hin, und ein paar Stunden später stellen wir sie hübsch wieder da ab, wo wir sie geholt haben, fertig.«

»Nee, nee, nicht den Jaguar – (Stille) – nicht den Ja-guar.«

»Na gut, dann werd ich mir jemanden suchen, der mich mitnimmt. Du bist doch aber auch zu blöd. Heut ist DIE Fete des Sommers, und du willst, daß wir dort mit deinem Viehtransporter aufkreuzen. Kommt nicht in Frage. Fährt der denn überhaupt?«

»Na klar.«

»Scheiße, das darf doch nicht wahr sein.«

Er zieht sich an den Wangen die Haut weg.

»Ohne mich kommst du ja gar nicht rein.«

»Na ja, zwischen nicht hingehen und in deiner Müllkiste aufkreuzen, weiß ich nicht, was besser ist. Und sieh zu, daß kein Huhn mehr drin sitzt, ist das klar?«

★

Auf dem Rückweg. Fünf Uhr morgens. Zwei Jungs, grau und müde, riechen nach Zigaretten und Schweiß und nicht nach nächtlichen Eskapaden (schöne Fete, schlechte Kar-ten, kommt vor).

Zwei Jungen schweigend auf der D 49 zwischen Bonneuil und Cissé-le-Duc im Departement Indre-et-Loire.

»Na siehst du. Wir haben sie nicht kaputtgefahren, die Kiste. Oder? Wäre nicht nötig gewesen, daß du mir mit deinem ›Nee, nee‹ auf den Keks gehst. Der dicke Jean-Raymond kann Papas Auto morgen polieren.«

»Phhh. Für das, was es uns genützt hat, hätten wir genausogut das andere nehmen können.«

»Das stimmt, so gesehen, tote Hose.«

Er faßt sich an den Schritt.

»Du hast dich nicht mit vielen unterhalten, oder? Na ja, zumindest hab ich morgen mit einer Blonden mit dicken Titten eine Verabredung zum Tennis.«

»Mit welcher?«

»Ja, weißt du, die –«

Den Satz hat er nicht mehr beendet, denn in dem Moment überquerte ein Wildschwein die Fahrbahn, ein Exemplar von mindestens hundertfünfzig Kilo, ohne nach rechts oder links zu schauen, das Mistvieh.

Ein Wildschwein, das es äußerst eilig hatte, weil es vielleicht von einer Party kam und fürchtete, von seinen Eltern angeschnauzt zu werden.

Zuerst hörten sie das Quietschen der Reifen, dann vorne ein lautes »Rums«. Alexandre Devermont, der sagte:

»O Scheiße.«

Sie haben angehalten, haben die Tür aufgemacht und nachgeschaut. Das Wildschwein war mausetot, der rechte Kotflügel auch: die Stoßstange hin, der Kühler hin, die Scheinwerfer hin, die Karosserie hin. Sogar das kleine Jaguar-Sigel hatte einen Schlag wegbekommen. Alexandre Devermont, der wiederholt:

»O Scheiße.«

Er war zu benebelt und zu müde, um noch ein weiteres Wort herauszubringen. Und doch war er sich in diesem Augenblick vollkommen darüber im klaren, wie tief er in der Scheiße saß. Darüber war er sich vollkommen im klaren.

Franck verpaßte dem Wildschwein einen Tritt in den Bauch und sagte:

»Na ja, wir werden das Tier doch nicht hier liegen lassen. Nehmen wir es wenigstens mit, das gibt gutes Grillfleisch.«

Alexandre fing leise an zu kichern:

»Ja, Wildschweinkeule ist was Leckeres.«

Es war überhaupt nicht witzig, die Situation war eher dramatisch, aber er wurde von einem Lachkrampf geschüttelt. Aufgrund seiner Müdigkeit sicher und seiner Nervosität.

»Deine Mutter wird sich freuen.«

»Das kannst du laut sagen, sie wird sich riesig freuen!«

Und die beiden Spinner lachten so sehr, daß sie davon Bauchschmerzen bekamen.

★

»Okay jetzt, packen wir das Vieh in den Kofferraum?«

»Jaaa.«

»Scheiße!«

»Was ist denn jetzt schon wieder?!«

»Der ist voll.«

»Was?«

»Der ist voll, hab ich gesagt! Mit dem Golfsack von deinem Vater und mit Weinkisten.«

»O Scheiße.«

»Was machen wir jetzt?«

»Wir legen es hinten rein, auf den Boden.«

»Meinst du?«

»Klar, warte. Ich deck was drüber, damit die Sitze nicht dreckig werden. Sieh mal nach, ob du hinten im Kofferraum nicht ein Plaid findest.«

»Ein was?«

»Ein Plaid.«

»Was ist das denn?«

»Das Teil mit den grünblauen Karos, ganz unten.«

»Ach so! Eine Decke. Eine Pariser Decke oder was?«

»Wenn du willst. Los, beeil dich.«

»Warte, ich helf dir. Wir müssen ihm ja nicht auch noch die Ledersitze dreckig machen.«

»Da hast du recht.«

»Verdammt, ist das Vieh schwer!«

»Das kannst du laut sagen.«

»Und wie das stinkt.«

»He Alex. Wir sind hier auf dem Land.«

»Kotzt mich an, das Land.«

Sie stiegen wieder ein. Das Auto sprang auf Anhieb an, der Motor hatte offensichtlich nichts abbekommen. Das war schon mal was.

Und dann ein paar Kilometer weiter: der große, große Schreck. Zuerst Geräusche und ein Grunzen hinter ihrem Rücken.

Franck, der sagt:

»Verdammte Scheiße, das Mistvieh ist überhaupt nicht tot!«

Alexandre, der darauf nicht antwortet. Was zuviel war, war nun mal zuviel.

Das Wildschwein fing an, sich aufzurichten und um die eigene Achse zu drehen.

Franck hielt auf der Stelle an und schrie:

»Nichts wie raus!«

Er war total bleich.

Türen schlugen zu, die beiden entfernten sich vom Auto.

Im Wageninnern war die Scheiße perfekt.

Die Scheiße perfekt.

Die Sitze aus cremefarbenem Leder ruiniert. Das Lenkrad ruiniert. Der Schalthebel aus Rüsternholz ruiniert, die Kopfstützen ruiniert. Das ganze Wageninnere ruiniert, ruiniert, ruiniert.

Devermont Junior, am Boden zerstört.

Das Tier hatte die Augen weit aufgerissen und Schaum vor den keilförmigen Eckzähnen. Ein schrecklicher Anblick.

Sie hatten beschlossen, die Tür zu öffnen und sich so lange dahinter zu verstecken, bis sie sich aufs Dach retten könnten. Die Taktik wäre vielleicht nicht schlecht gewesen, aber das werden sie nie mit Sicherheit wissen, denn in der Zwischenzeit hatte sich das Wildschwein eingeschlossen, indem es auf die Knöpfe der Zentralverriegelung getrampelt war.

Und der Schlüssel war auf dem Armaturenbrett geblieben.

Also, man kann schon sagen, wenn etwas schiefläuft, dann läuft es aber auch schief.

Franck Mingeaut hat ein Handy aus der Innentasche seiner schicken Weste gezogen und sehr betreten die 18 gewählt.

Als die Feuerwehr anrückte, hatte sich das Tier ein wenig beruhigt. Gerade eben. Na ja, es gab ja auch nichts mehr zu ruinieren.

Der Einsatzleiter ist einmal um das Auto herumgegangen. Er war ziemlich beeindruckt. Er konnte es sich nicht verkneifen zu sagen:

So ein schönes Auto, das tut weh, gelle?

Der Rest ist eine einzige Qual für Leute, die das Schöne lieben.

Einer der Männer hat einen riesigen Karabiner geholt, eine Art Bazooka. Er hat alle weggeschickt und gezielt. Das Tier und die Scheibe sind im gleichen Moment explodiert.

Das Wageninnere frisch gestrichen: in Rot.

Blut, sogar tief im Handschuhfach, sogar zwischen den Tasten des Autotelefons.

Alexandre Devermont war wie benommen. Es sah aus, als könne er an nichts mehr denken. An nichts mehr. An gar nichts. Nur noch daran, sich lebendig begraben zu lassen oder die Bazooka des Feuerwehrmanns auf sich zu richten.

Aber nein, er dachte an den Tratsch in der Gegend und an den Glücksfall, den das Ganze für die Grünen darstellen würde.

Man muß dazu sagen, daß sein Vater nicht nur einen wunderschönen Jaguar besaß, sondern auch erbitterte politische Ziele hatte, er wollte den Ökos kontra geben.

Weil die Grünen die Jagd verbieten und irgendein Naturschutzgebiet oder so was in der Art anlegen wollen, nur um die Großgrundbesitzer zu ärgern.

Das war ein Kampf, der ihm ungeheuer wichtig war und der schon fast gewonnen schien. Gestern abend noch, als er die Ente tranchierte, hatte er gesagt:

»Noch so ein Vieh, das Grolet und seine fiese Bande nicht mehr in ihren Ferngläsern sehen werden!!! Ha ha ha!«

Und jetzt das Wildschwein, das im Jaguar Sovereign des künftigen Regionalrats in tausend Stücke zerspringt, das macht sich bestimmt nicht gut. Bestimmt nicht, oder?

An den Scheiben kleben noch einzelne Borsten.

Die Feuerwehrleute sind abgezogen, die Bullen sind abgezogen. Morgen wird ein Abschleppwagen kommen und den – das – eh das – graumetallene Etwas abholen, das die Straße versperrt.

★

Unsere beiden Kameraden laufen die Straße hinunter, die Smokingweste über die Schulter geworfen. Es gibt nichts mehr zu sagen. Das heißt, so wie die Dinge jetzt liegen, braucht man im Grunde nicht einmal mehr zu denken.

Franck, der sagt:

»Willst du ne Zigarette?«

Alexandre, der antwortet:

»Jaaa, gern.«

So laufen sie lange Zeit nebeneinander her. Die Sonne geht über den Feldern auf, der Himmel ist rosa, und ein paar Sterne bleiben noch ein bißchen stehen. Kein Laut ist zu hören. Nur das Rascheln der Hasen im Gras, die die Gräben entlangrennen.

Und plötzlich dreht sich Alexandre Devermont zu seinem Freund und fragt:

»Also? Diese Blonde da, von der du mir erzählt hast, die mit den großen Titten – wer war das?«

Und sein Freund lächelt ihn an.

Jahrelang

Jahrelang hatte ich geglaubt, diese Frau sei aus meinem Leben verschwunden, nicht sehr weit zwar, aber doch komplett daraus verschwunden.

Es gebe sie nicht länger, sie wohne ganz weit weg, sie sei nie wirklich hübsch gewesen, sie gehöre der Welt der Vergangenheit an. Der Welt, als ich noch jung und romantisch war, als ich noch glaubte, die Liebe halte ewig und nichts sei größer als meine Liebe zu ihr. Der ganze Schwachsinn halt.

Ich war sechsundzwanzig Jahre alt und stand in einem Bahnhof auf dem Bahnsteig. Ich begriff nicht, wieso sie so sehr weinte. Ich schloß sie in die Arme und vergrub mich in ihren Nacken. Ich glaubte, sie sei unglücklich, weil ich wegfuhr, und sie wolle mich ihre Verzweiflung sehen lassen. Und dann, einige Wochen später, nachdem ich am Telefon wie ein Bekloppter meinen Stolz mit Füßen getreten hatte oder in allzu langen Briefen nach ihr geseufzt hatte, begriff ich endlich.

Daß sie an jenem Tag schwach geworden war, weil sie wußte, daß sie mein Gesicht zum letzten Mal sah, daß sie über mich weinte, über meine sterblichen Überreste. Und daß sie schwer daran trug.

Monatelang habe ich mich überall gestoßen.

Ich gab auf nichts acht und habe mich überall gestoßen. Je weher es tat, um so mehr habe ich mich gestoßen.

Ich sah wunderbar heruntergekommen aus: all diese Tage

voller Leere, wo ich so tat als ob. Indem ich aufstand, indem ich bis zur Verblödung arbeitete, indem ich schlecht und recht aß, mit meinen Kollegen Bier trank und nicht aufhörte, mit meinen Brüdern dreckige Witze zu machen, wo doch das leiseste Pusten des geringsten von ihnen ausgereicht hätte, mich umzuwerfen.

Aber ich täuschte mich. Es war nicht Tapferkeit, es war Dummheit: weil ich glaubte, sie würde zurückkommen. Daran hatte ich wirklich geglaubt.

Ich hatte nichts kommen sehen, und mein Herz war wirklich zu Bruch gegangen auf einem Bahnsteig in einem Bahnhof an einem Sonntagabend. Ich konnte mich nicht damit abfinden, und ich stieß mich an allem und überall.

Die darauffolgenden Jahre veränderten nichts. An manchen Tagen habe ich mich dabei ertappt, wie ich dachte:

»He? Das ist ja komisch. Ich glaube, gestern habe ich nicht an sie gedacht.« Und anstatt mich zu beglückwünschen, fragte ich mich, wie es möglich war, wie ich es geschafft hatte, einen ganzen Tag zu leben, ohne an sie zu denken. Vor allem ihr Vorname hat mich verfolgt. Und zwei oder drei scharfe Bilder, die ich von ihr im Kopf hatte. Immer die gleichen.

Ja, so war es. Ich habe morgens die Füße auf den Boden gesetzt, ich habe gegessen, ich habe mich gewaschen, ich habe mich angezogen, und ich habe gearbeitet.

Manchmal habe ich die nackten Körper irgendwelcher Mädchen gesehen. Manchmal, aber ohne daß es mich berührt hätte.

Gefühle: Fehlanzeige.

Und dann bekam ich eines Tages doch noch meine Chance. Als es mir schon gleichgültig geworden war.

Eine andere Frau hat mich kennengelernt. Eine Frau, die völlig anders war, hat sich in mich verliebt, sie hatte einen anderen Vornamen und beschloß, aus mir einen ganzen Mann zu machen. Ohne mich nach meiner Meinung zu fragen, hat sie mich wieder auf die Beine gestellt und mich ein Jahr nach unserem ersten Kuß, zu dem es auf einem Kongreß im Fahrstuhl gekommen war, geheiratet.

Eine unverhoffte Frau. Ich muß sagen, daß ich ziemlich viel Angst hatte. Ich hatte nicht mehr daran geglaubt und habe sie bestimmt sehr oft verletzt. Ich strich ihr über den Bauch und schweifte in Gedanken ab. Ich hob ihre Haare hoch und suchte einen anderen Geruch. Sie hat nie etwas dazu gesagt. Sie wußte, daß mein Geisterdasein nicht mehr von langer Dauer sein würde. Aufgrund ihres Lachens, aufgrund ihrer Haut und aufgrund dieses ganzen Wusts an elementarer und selbstloser Liebe, die sie mir zu geben hatte. Sie hatte recht. Mein Geisterdasein ließ mich glücklich leben.

Im Augenblick befindet sie sich im Nebenzimmer. Sie ist eingeschlafen.

In beruflicher Hinsicht war ich erfolgreicher, als ich es mir je vorgestellt hatte. Man könnte meinen, Verbissenheit zahle sich aus, ich sei im rechten Augenblick am rechten Ort gewesen, hätte die richtigen Entscheidungen getroffen, hätte – ich weiß es nicht.

Auf alle Fälle sehe ich in den erstaunten wie skeptischen Augen meiner früheren Studienkollegen sehr wohl, daß sie ratlos davorstehen: eine hübsche Frau, eine hübsche Visitenkarte und maßgeschneiderte Hemden – bei so wenig anfänglichen Mitteln. Das macht perplex.

Damals war ich vor allem derjenige gewesen, der nur an

Mädchen dachte, na ja, an jenes Mädchen, der während der Vorlesungen Briefe schrieb und weder nach den Hintern noch den Brüsten noch den Augen noch sonst was auf den Caféterrassen schielte. Derjenige, der jeden Freitag den ersten Zug nach Paris nahm und am Montagmorgen traurig und mit Ringen unter den Augen zurückkehrte und die Entfernungen sowie den Eifer der Schaffner verfluchte. Eher Harlekin als golden boy, so war es.

Weil ich sie liebte, habe ich mein Studium vernachlässigt, und weil ich mein Studium aufs Spiel setzte und in vielen anderen Dingen unentschlossen war, hat sie mich verlassen. Sie mußte denken, die Zukunft mit einem wie mir wäre zu – ja – unsicher.

Wenn ich mir heute meine Kontoauszüge anschaue, wird mir klar, daß das Leben ein Spaßvogel ist.

Ich habe also gelebt, als wäre nichts gewesen.

Natürlich kam es vor, daß wir uns lächelnd unterhielten, meine Frau und ich, auch mit Freunden, über unsere Studienjahre, über Filme und Bücher, die uns geprägt hatten, und über *unsere Jugendlieben*, Gesichter, die wir unterwegs vergessen hatten und die uns zufällig wieder in den Sinn kamen. Über die Preise in den Cafés und derlei nostalgischen Kram. Über den Teil unseres Lebens, den wir in einem Regal abgelegt hatten. Wir wischten ein wenig Staub. Aber ich habe das alles nie breitgetreten. O nein.

Eine Zeitlang, das weiß ich noch, kam ich jeden Tag an einem Schild vorbei, auf dem der Name der Stadt stand, in der sie meines Wissens lebte, mit Kilometerangabe.

Jeden Morgen auf dem Weg ins Büro und jeden Abend auf dem Weg zurück warf ich einen Blick auf das Schild. Ich warf einen Blick darauf, mehr nicht. Ich bin ihm nie gefolgt. Ich habe zwar daran gedacht, aber schon der Gedanke, den

Blinker zu setzen, kam mir vor, als würde ich meine Frau bespucken.

Trotzdem habe ich einen Blick darauf geworfen, das stimmt.

Und dann habe ich die Arbeitsstelle gewechselt. Das war's dann mit dem Schild.

Aber es gab immer auch andere Gründe, andere Vorwände. Immer. Wie viele Male habe ich mich in der Straße umgedreht, mit einem Stich im Herzen, weil ich geglaubt hatte, den Schatten einer Silhouette wahrgenommen zu haben, der – oder eine Stimme, die – oder eine Frisur wie –?

Wie viele Male?

Ich hatte geglaubt, ich würde nicht mehr daran denken, aber es reichte aus, daß ich einen Augenblick lang allein an einem einigermaßen ruhigen Ort war, um sie kommen zu sehen.

Einmal auf einer Restaurantterrasse, vor weniger als sechs Monaten, als der Kunde, den ich einladen sollte, nicht kam, habe ich sie in meiner Erinnerung gesucht. Ich habe meinen Kragen gelockert und den Kellner gebeten, mir eine Schachtel Zigaretten zu bringen. Jene starken und bitteren Zigaretten, die ich damals geraucht habe. Ich habe die Beine ausgestreckt und den Ober gebeten, das Gedeck mir gegenüber nicht wegzunehmen. Ich habe einen guten Wein bestellt, einen Gruaud-Larose, glaube ich, und während ich mit halb geschlossenen Augen rauchte und einen zarten Sonnenstrahl genoß, sah ich sie kommen.

Ich habe sie wieder und wieder angesehen. Ich habe nicht aufgehört, an sie zu denken und an das, was wir taten, wenn wir zusammen waren und wenn wir im gleichen Bett schliefen.

Niemals habe ich mich gefragt, ob ich sie immer noch liebe und welche Gefühle ich ihr gegenüber eigentlich hege. Das hätte nichts gebracht. Aber ich genoß es, sie über den Umweg eines Augenblicks der Einsamkeit wiederzusehen. Das muß ich zugeben, denn es ist die Wahrheit.

Zu meinem Glück hat mir das Leben nicht viele Momente der Einsamkeit beschert. Es sei denn, daß mich ein Kunde vergaß oder daß ich nachts allein im Auto saß, ohne mir Gedanken über den Weg machen zu müssen. Mit anderen Worten, fast nie.

Und selbst wenn ich manchmal bei einem richtigen Blues oder in einem Anflug von Nostalgie Lust dazu hätte und mich dazu hinreißen ließe, beispielsweise einen scherzhaften Ton anzuschlagen und ihre Telefonnummer im Minitel zu suchen oder eine andere Dummheit dieser Art, so weiß ich jetzt, daß das nicht in Frage kommt, denn seit einigen Jahren habe ich richtige Schutzgitter. Von der ganz gnadenlosen Sorte: meine Kinder.

Ich bin vernarrt in meine Kinder. Ich habe drei, Marie, ein großes Mädchen von sieben, Joséphine, ein weiteres von fast vier, und Yvan, mit nicht ganz zwei Jahren der Kleinste. Außerdem war ich es, der meine Frau angefleht hat, mir noch ein drittes zu schenken, ich weiß noch, daß sie von Müdigkeit und Zukunft sprach, aber ich finde Babys ganz allerliebst, ihr Kauderwelsch und ihre feuchten Küsse. Komm schon, habe ich gesagt, schenk mir noch ein Kind. Sie hat sich nicht lange geziert, und allein schon deshalb weiß ich, daß sie meine einzige Freundin ist und daß ich sie nie verlassen werde. Auch wenn mich ein hartnäckiger Schatten begleitet.

Meine Kinder sind das Beste, was mir je passiert ist.

Eine alte Liebesgeschichte ist nichts dagegen. Gar nichts.

★

So ungefähr hat mein Leben ausgesehen, und dann hat sie letzte Woche ihren Vornamen ins Telefon gesprochen.

»Hier ist Hélèna.«

»Hélèna?«

»Stör ich?«

Ich hatte meinen Kleinen auf dem Schoß, der quietschend versuchte, nach dem Hörer zu greifen.

»Na ja.«

»Dein Kind?«

»Ja.«

»Wie alt ist es?«

»Weshalb rufst du mich einfach so an?«

»Wie alt ist es?«

»Zwanzig Monate.«

»Ich rufe an, weil ich dich gerne sehen würde.«

»Du willst mich sehen?«

»Ja.«

»Was soll der Blödsinn?«

»…«

»Einfach so. Du hast dir einfach gesagt: Ach ja, ich hätte Lust, ihn mal wiederzusehen?«

»So ähnlich.«

»Weshalb? Ich meine, weshalb jetzt? Nach all den Jahr …«

»Zwölf Jahre. Zwölf Jahre sind es jetzt.«

»Von mir aus. Aber was ist los? Bist du plötzlich aufgewacht? Was willst du? Willst du wissen, wie alt meine Kinder sind oder ob mir die Haare ausgefallen sind oder – oder wie du auf mich wirkst oder – oder ist es einfach nur so, um über die guten alten Zeiten zu reden?!«

»Hör zu, ich hatte nicht gedacht, daß du so darauf rea-
gieren würdest, dann lege ich jetzt auf. Es tut mir leid.
Ich …«

»Wie bist du an meine Nummer gekommen?«

»Über deinen Vater.«

»Was!«

»Ich habe vorhin deinen Vater angerufen und ihn nach
deiner Nummer gefragt, ganz einfach.«

»Hat er sich an dich erinnert?«

»Nein. Das heißt – ich habe ihm nicht gesagt, wer ich bin.«

Ich habe meinen Sohn auf den Boden gestellt, und er ist
abgedüst ins Zimmer seiner Schwestern. Meine Frau war
nicht da.

»Wart mal, leg nicht auf. Marie! Kannst du ihm bitte seine
Hausschuhe anziehen? – Hallo? Bist du noch dran?«

»Ja.«

»Und?«

»Was und?«

»Du willst also, daß wir uns wiedersehen?«

»Ja. Das heißt, nicht für lange. Nur auf ein Glas oder einen
kleinen Spaziergang, oder …«

»Warum? Wozu soll das gut sein?«

»Ich hab einfach nur Lust, dich wiederzusehen. Ein
bißchen mit dir zu reden.«

»Hélèna?«

»Ja.«

»Warum tust du das?«

»Warum?«

»Ja, warum rufst du mich an? Warum so spät? Warum
jetzt? Hast du dir denn gar nicht überlegt, ob du dadurch
mein Leben durcheinanderbringen könntest? Du wählst
meine Nummer und …«

»Hör zu, Pierre. Ich werde sterben.«

»...«

»Ich ruf dich an, weil ich sterben werde. Ich weiß noch nicht genau, wann, aber es ist nicht mehr lange hin.«

Ich löste den Hörer ein wenig vom Ohr, als wollte ich Atem schöpfen, und versuchte aufzustehen, erfolglos.

»Das ist nicht wahr.«

»Doch, es ist wahr.«

»Was fehlt dir?«

»Ach, das ist kompliziert. Um es kurz zu fassen, könnte man sagen, daß mein Blut, na ja, ich weiß nicht genau, was mit ihm los ist, weil die Diagnosen nicht ganz eindeutig sind, na ja, es ist irgendwas Komisches.«

»Bist du sicher?« habe ich gefragt.

»Hör mal! Was glaubst du denn? Daß ich dir irgendwelche dramatischen Lügengeschichten auftische, damit ich einen Grund habe, dich anzurufen?!!«

»Entschuldige bitte.«

»Schon okay.«

»Vielleicht irren sie sich ja.«

»Ja – vielleicht.«

»Nein?«

»Nein. Ich glaube nicht.«

»Wie kann das sein?«

»Ich weiß es nicht.«

»Hast du Schmerzen?«

»Es geht so.«

Hast du Schmerzen?

»Ein bißchen schon, wenn ich ehrlich bin.«

»Du willst mich also *ein letztes Mal* sehen?«

»Ja. So kann man es sagen.«

»...«

»...«

114

»Hast du keine Angst, enttäuscht zu werden? Willst du mich nicht lieber – in guter Erinnerung behalten?«

»So wie du warst, als du noch jung und schön warst?«

Ich hörte sie lächeln.

»Genau. Als ich noch jung und schön war und noch keine grauen Haare hatte.«

»Hast du jetzt graue Haare?!«

»Fünf Stück, glaube ich.«

»Ah! Das geht ja noch, hast du mir einen Schrecken eingejagt! Du hast recht. Ich weiß nicht, ob es eine gute Idee ist, aber ich denke seit einiger Zeit darüber nach – und ich habe mir gesagt, daß es wirklich etwas ist, was mir Freude machen würde. Na ja, und da es in letzter Zeit nicht mehr viel gibt, was mir Freude macht – habe ich dich angerufen.«

»Seit wann denkst du darüber nach?«

»Seit zwölf Jahren! Nein. Ich mache nur Spaß. Seit einigen Monaten. Seit meinem letzten Krankenhausaufenthalt, um genau zu sein.«

»Du willst mich also wiedersehen?«

»Ja.«

»Wann?«

»Wann du willst. Wann du kannst.«

»Wo wohnst du?«

»Immer noch im gleichen Ort. Hundert Kilometer von dir entfernt, glaube ich.«

»Hélèna?«

»Ja?«

»Nein, nichts.«

»Du hast recht. Nichts. So ist es. C'est la vie, und ich rufe dich nicht an, um die Vergangenheit aufzuribbeln oder das Unmögliche möglich zu machen, weißt du. Ich …

Ich ruf dich an, weil ich dein Gesicht wiedersehen will. Das ist alles. Wie diese Leute, die in das Dorf ihrer Kindheit zurückkehren oder in das Haus ihrer Eltern oder an irgendeinen Ort, der ihr Leben geprägt hat.«

»Eine Art Wallfahrt, wie?«

Mir fiel auf, daß sich meine Stimme verändert hatte.

»Ja, genau. Eine Art Wallfahrt. Als wäre dein Gesicht ein Ort, der mein Leben geprägt hat.«

»Wallfahrten haben immer etwas Trauriges an sich.«

»Warum sagst du das?! Du hast doch nie eine gemacht!?«

»Nein. Doch. Nach Lourdes.«

»Ach ja, na ja – also, nach Lourdes, wohin sonst?«

Sie zwang sich zu einem scherzhaften Ton.

Ich hörte, wie sich die Kleinen zankten, und ich hatte überhaupt keine Lust mehr zu reden. Mir war eher nach auflegen. Schließlich habe ich gesagt:

»Wann?«

»Sag du.«

»Morgen?«

»Wenn du willst.«

»Wo?«

»Auf halber Strecke zwischen dir und mir. In Sully zum Beispiel.«

»Kannst du Auto fahren?«

»Ja. Kann ich.«

»Was gibt es denn in Sully?«

»Na ja, nicht viel, vermute ich. Wir werden schon sehen. Wir können ja einfach vor dem Rathaus aufeinander warten.«

»Um die Mittagszeit?«

»O nein. Es ist nicht sehr witzig, mit mir zu essen, weißt du.«

Sie zwang sich wieder zu lachen.

»Nach dem Mittagessen ist besser.«

★

In dieser Nacht konnte er nicht einschlafen. Er starrte mit weit geöffneten Augen an die Decke. Er wollte, daß sie trocken blieben. Nicht weinen.

Nicht etwa wegen seiner Frau. Er hatte Angst, sich zu täuschen, er hatte Angst, er würde eher über den Tod seines eigenen Innenlebens weinen als über ihren. Er wußte, wenn er einmal anfing, würde er nicht mehr aufhören können.

Nicht die Schleusentore öffnen. Auf keinen Fall. Weil er jetzt schon seit so vielen Jahren umherstolzierte und darüber schimpfte, wie schwach die Leute waren. Die anderen. Die nicht wußten, was sie wollten, und die ihre ganze Mittelmäßigkeit hinter sich herzogen.

So viele Jahre schon, daß er mit dieser verfluchten Zärtlichkeit auf seine eigene Jugendzeit sah. Immer wenn er an sie dachte, versuchte er sich zu relativieren, so zu tun, als würde er darüber lächeln oder etwas begreifen. Dabei hatte er niemals auch nur das geringste begriffen.

Er weiß genau, daß er nur sie geliebt hat und daß er niemals von einem anderen Menschen als ihr geliebt wurde. Daß sie seine einzige Liebe gewesen ist und daß daran nichts zu ändern war. Daß sie ihn fallengelassen hatte wie einen lästigen Gegenstand, wie etwas Unnötiges. Daß sie ihm nie die Hand gereicht oder ein Briefchen geschickt hatte, um ihm zu sagen, er solle wieder aufstehen. Um ihm zu gestehen, daß sie so toll nicht war. Daß er sich irrte. Daß er mehr wert war als sie. Oder aber, daß sie den Fehler ihres Lebens gemacht hatte und es insgeheim bereute. Er wußte, wie stolz sie war. Ihm sagen, daß auch sie zwölf Jahre lang gelitten hatte und daß sie jetzt sterben würde.

Er wollte nicht weinen, und damit er nicht damit anfing, erzählte er sich irgendwelchen Schwachsinn. Ja, genau. Irgendwelchen Schwachsinn. Seine Frau hat sich umgedreht, hat ihre Hand auf seinen Bauch gelegt, und sofort hat er seine Wahnvorstellungen bereut. Natürlich hatte er eine andere geliebt und war von ihr geliebt worden, natürlich. Er betrachtet das Gesicht neben sich und nimmt ihre Hand, um sie zu küssen. Sie lächelt im Schlaf.

Nein, er braucht nicht zu stöhnen. Er braucht sich nichts vorzumachen. Die romantische Leidenschaft, ei ja, eine Zeitlang geht das gut. Aber jetzt ist Schluß damit, basta. Außerdem paßt es ihm morgen nachmittag gar nicht so richtig, wegen seinem Termin mit den Kerlen von Sigma II. Er wird Marcheron darauf ansetzen müssen, und das paßt ihm schon gar nicht, denn Marcheron …

Er konnte in dieser Nacht nicht einschlafen. Er dachte über alles mögliche nach.

So könnte er seine Schlaflosigkeit erklären, nur, daß seine Lampe nicht richtig leuchtet und er nichts sieht und er sich wie in der Zeit des großen Kummers überall stößt.

★

Sie konnte in dieser Nacht nicht einschlafen, aber sie ist daran gewöhnt. Sie schläft fast nicht mehr. Das liegt daran, daß sie sich am Tag nicht mehr ausreichend verausgabt. Das ist die Theorie des Arztes. Ihre Söhne sind beim Vater, und sie weint nur noch den ganzen Tag.

Weint. Weint. Weint.

Sie zerbricht, sie wirft Ballast ab, sie gibt sich auf. Es ist ihr egal, sie überlegt, daß es jetzt reicht, daß sie zu anderen Dingen übergehen und die Bahn freimachen muß, der Typ kann noch so oft sagen, daß sie sich nicht verausgabt, er begreift nichts mit seinem schmucken Kittel und seinen komplizierten Ausdrücken. In Wahrheit ist sie am Ende. Am Ende.

Sie weint, weil sie endlich Pierre angerufen hat. Sie hat

immer dafür gesorgt, daß sie seine Telefonnummer hat, und es ist mehrmals vorgekommen, daß sie die zehn Zahlen gewählt hat, die sie von ihm trennten, um seine Stimme zu hören und schnell aufzulegen. Einmal ist sie ihm sogar einen ganzen Tag gefolgt, weil sie wissen wollte, wo er wohnt und was für ein Auto er hat, wo er arbeitet, wie er sich kleidet und ob er sorgenvoll aussieht. Sie ist auch seiner Frau gefolgt. Sie hatte sich eingestehen müssen, daß sie hübsch und fröhlich aussah und daß sie Kinder von ihm hatte.

Sie weint, weil ihr Herz heute wieder angefangen hat zu schlagen, obwohl sie dies schon lange nicht mehr für möglich gehalten hatte. Ihr Leben war schwerer gewesen, als sie es sich hätte vorstellen können. Sie hatte vor allem die Einsamkeit kennengelernt. Sie glaubte, es sei jetzt zu spät, noch etwas zu empfinden, sie habe ihren Anteil vom Kuchen schon gehabt. Vor allem, seit DIE sich eines Tages bei der Blutabnahme so aufgeregt hatten, einer Routineuntersuchung, die sie zufällig hatte machen lassen, weil sie sich nicht recht auf der Höhe fühlte. Sie alle, die kleinen Ärzte wie die großen Professoren, hatten eine Meinung zu der Geschichte, aber nicht mehr viel zu sagen, als es darum ging, sie da herauszuholen.

Sie weint aus so vielen Gründen, weil sie keine Lust mehr hat, darüber nachzudenken. Ihr ganzes Leben springt ihr plötzlich ins Gesicht. Um sich ein wenig zu schützen, redet sie sich ein, daß sie aus Freude am Weinen weint, und nichts sonst.

★

Sie war schon da, als ich kam, und sie hat mir zugelächelt. Sie hat gesagt, es ist gewiß das erste Mal, daß ich dich nicht habe warten lassen, du siehst, es gab keinen Grund zu verzweifeln, und ich habe geantwortet, ich sei nicht verzweifelt.

Wir haben uns zur Begrüßung nicht umarmt. Du hast dich nicht verändert, habe ich gesagt. Eine bescheuerte Bemerkung, aber genau das habe ich gedacht, nur daß ich sie noch hübscher fand. Sie war sehr blaß, und ihre winzigen blauen Adern um die Augen, auf den Lidern und den Schläfen waren allesamt zu sehen. Sie hatte abgenommen, und ihr Gesicht war hohlwangiger als früher. Sie wirkte resignierter, wenn ich an den lebhaften Eindruck denke, den sie früher gemacht hat. Sie sah mich ununterbrochen an. Sie wollte, daß ich erzähle, sie wollte, daß ich schwieg. Sie lächelte mich die ganze Zeit an. Sie wollte mich wiedersehen, und ich wußte nicht, wohin mit meinen Händen, ob ich rauchen durfte oder ihren Arm berühren.

Es war eine düstere Stadt. Wir sind ein Stückchen gelaufen bis zum öffentlichen Park.

Wir haben uns unser Leben erzählt. Ziemlich unzusammenhängend. Unsere Geheimnisse haben wir für uns behalten. Sie suchte nach Worten. Einmal hat sie mich nach dem Unterschied zwischen Unsicherheit und Unfähigkeit gefragt. Ich wußte ihn nicht mehr. Sie machte eine Geste, die mir zu verstehen gab, daß es im Grunde auch völlig belanglos war. Sie sagte, das Ganze habe sie sehr verbittert, sehr verhärtet, auf alle Fälle sehr verändert im Vergleich zu der, die sie vorher gewesen war.

Ihre Krankheit haben wir fast nicht erwähnt, außer als sie von ihren Kindern sprach und sagte, daß das kein Leben für diese sei. Vor kurzem hatte sie ihnen Nudeln kochen wollen, und selbst das hätte sie nicht geschafft, weil ihr der Wassertopf zu schwer gewesen war, nein wirklich, dies war kein Leben mehr. Sie hatten schon genug mitgemacht.

Sie hat mich nach meiner Frau gefragt und nach meinen Kindern und meiner Arbeit. Und sogar nach Marcheron. Sie wollte alles wissen, aber ich merkte, daß sie mir die meiste Zeit nicht zuhörte.

Wir saßen auf einer Bank, von der die Farbe schon ziemlich abgeblättert war, mit Blick auf einen Brunnen, der wohl seit seiner Einweihung kein Wasser mehr gespuckt hatte. Alles war häßlich. Traurig und häßlich. Die Feuchtigkeit senkte sich langsam auf uns herab, und wir haben uns ein wenig in uns zusammengekauert, um uns zu wärmen.

Schließlich ist sie aufgestanden, sie mußte allmählich los.

Sie sagte, ich möchte dich um einen Gefallen bitten, einen einzigen nur. Ich würde gerne an dir riechen. Und als ich nicht antwortete, gestand sie mir, daß sie all die Jahre Lust gehabt hatte, an mir zu riechen und meinen Geruch einzuatmen. Ich behielt meine Hände tief in den Manteltaschen, sonst hätte ich …

Sie ist hinter mich getreten und hat sich über meine Haare gebeugt. So ist sie lange geblieben, und ich habe mich schrecklich unwohl gefühlt. Anschließend hat sie ihre Nase zu meiner Nackenmulde bewegt und um meinen Kopf herum, sie hat sich Zeit gelassen, und dann den ganzen Nacken hinunter bis zum Hemdkragen. Sie hat tief Luft geholt, und auch sie hat ihre Hände auf dem Rücken behalten. Dann hat sie meine Krawatte gelockert und die zwei obersten Knöpfe an meinem Hemd geöffnet, und ich habe ihre kalte Nasenspitze ganz leicht an meinem Schlüsselbein gespürt, ich – ich –

Ich habe eine ziemlich abrupte Bewegung gemacht. Sie

hat sich hinter mir aufgerichtet und beide Hände auf meine Schultern gelegt. Sie hat gesagt, ich gehe jetzt. Ich will nicht, daß du dich bewegst oder daß du dich umdrehst. Bitte beweg dich nicht.

Ich habe mich nicht bewegt. Mir war ohnehin nicht danach, denn ich wollte nicht, daß sie mich mit verquollenen Augen und zusammengekniffenem Mund sieht.

Ich habe ziemlich lange gewartet, dann bin ich zu meinem Auto gegangen.

Klick-Klack

Seit fünfeinhalb Monaten habe ich Lust auf Sarah Briot, die Verkaufsleiterin.
Oder sollte ich eher sagen: Seit fünfeinhalb Monaten bin ich in die Verkaufsleiterin Sarah Briot verliebt? Ich weiß nicht.

Seit dieser Zeit jedenfalls kann ich nicht mehr an sie denken, ohne eine herrliche Erektion zu haben, und da es mir zum ersten Mal so geht, weiß ich nicht, wie ich dieses Gefühl nennen soll.

Sarah Briot ahnt etwas. Nein, sie hatte bislang noch nicht die Gelegenheit, meine Hose zu berühren oder gar etwas zu fühlen, aber sie ahnt etwas.

Natürlich weiß sie nicht, daß es am Dienstag fünfeinhalb Monate sein werden, denn sie achtet weniger auf Zahlen als ich (ich bin Rechnungsprüfer, folglich ...) Aber ich weiß, daß sie es weiß, denn sie ist ziemlich gewieft.

Sie spricht auf eine Art mit Männern, die mich früher geschockt hat und die mich jetzt verzweifeln läßt. Sie spricht mit ihnen, als hätte sie eine Spezialbrille auf (Stil: Röntgenstrahlen à la Superman), die es ihr ermöglicht, das Geschlecht ihres Gesprächspartners in voller Größe zu sehen.

Im Ruhezustand wohlgemerkt. Das hat in der Firma natürlich komische Situationen zur Folge. Sie können es sich sicher vorstellen.

Sie gibt Ihnen die Hand, sie antwortet auf Ihre Fragen, sie lächelt Sie an, sie trinkt sogar mit Ihnen Kaffee aus einem

Plastikbecher in der Cafeteria, und Sie, Sie denken die ganze Zeit nur wie bekloppt daran, die Knie zusammenzupressen oder die Beine übereinanderzuschlagen. Es ist die reinste Hölle.

Das Schlimmste ist, daß sie Ihnen die ganze Zeit über in die Augen sieht. Und nur in die Augen.

Sarah Briot ist nicht hübsch. Sie ist süß, aber das ist nicht das gleiche.

Sie ist nicht sehr groß, sie ist blond, aber man braucht nicht der Allgewaltige zu sein, um zu sehen, daß das nicht ihre echte Farbe ist, es sind Strähnchen.

Wie alle Mädchen trägt sie häufig Hosen und noch häufiger Jeans. Was schade ist.

Sarah Briot ist ein klein wenig füllig. Ich höre sie am Telefon mit ihren Freundinnen oft von Diät sprechen (da sie laut spricht und ich im Büro nebenan sitze, höre ich alles).

Sie behauptet, sie müsse vier Kilo loswerden, um auf fünfzig zu kommen. Daran denke ich jeden Tag, ich habe es nämlich auf meiner Schreibunterlage notiert, während sie sprach: »54!!!«.

Auf diese Weise habe ich erfahren, daß sie schon die Montignac-Methode ausprobiert hat und »daß es ihr um die hundert Mäuse leid tat«, daß sie das Innenheft aus der Aprilausgabe von *Biba* herausgetrennt hat mit den *Spezialrezepten zum Abnehmen* von Estelle Halliday, daß sie ein riesiges Poster in ihrer winzigen Küche hängen hat, mit einer Kalorientabelle für sämtliche Lebensmittel, und daß sie sogar eine kleine Küchenwaage gekauft hat, um alles à la Weight Watchers zu wiegen.

Mit ihrer Freundin Marie, die lang und dürr ist, soweit ich verstanden habe, unterhält sie sich häufig darüber. (Unter uns gesagt, finde ich es bescheuert, denn ich weiß nicht, was ihre Freundin ihr antworten sollte.)

An diesem Punkt meiner Erzählung könnten sich die weniger Hellen fragen: Was findet er nur an diesem Mädchen?

Oh, oh … da muß ich ihnen aber Einhalt gebieten!!!

Letztens habe ich Sarah Briot aus vollem Halse lachen hören, als sie erzählt hat (Marie vielleicht?), daß sie die Waage schließlich ihrer Mutter vermacht hat, damit sie ihr einen »dieser leckeren Sonntagskuchen« bäckt, und sie bekam sichtlich gute Laune, als sie das erzählte.

Andererseits ist Sarah Briot kein gewöhnliches Mädchen, sie ist attraktiv. Alles an ihr lädt zum Streicheln ein, und das gibt's auch nicht alle Tage.

Halten Sie also die Klappe.

★

Eine Woche vor Muttertag bin ich in meiner Mittagspause durch die Wäscheabteilung der Galeries Lafayette gebummelt. Die Verkäuferinnen, eine rote Rose im Knopfloch, waren im Großeinsatz und lagen auf der Lauer nach unentschlossenen Vätern.

Ich hatte meine Aktentasche unter den Arm geklemmt und spielte »wenn-ich-mit-Sarah-Briot-verheiratet-wäre-was-würde-ich-ihr-kaufen«?

Lou, Passionnata, Simone Pérèle, Lejaby, Aubade, mir schwirrte der Kopf.

Manche Sachen fand ich zu pikant (es war ja schließlich Muttertag), bei anderen mochte ich die Farbe nicht oder die Verkäuferin (Make-up, meinetwegen, aber es gibt schließlich Grenzen).

Ganz zu schweigen von all den Modellen, die ich nicht begriff.

Ich konnte mir kaum vorstellen, im Eifer des Gefechts die

ganzen mikroskopisch kleinen Druckknöpfe aufzumachen, und ich begriff nicht, wie die Strumpfhalter zu bedienen waren (mußte man sie im Ernstfall anlassen oder ausziehen?).

Mir war heiß.

Schließlich habe ich für die künftige Mutter meiner Kinder ein Set aus hellgrauer Seide gefunden, Slip mit Büstenhalter von Christian Dior. Vom Feinsten.

»Welche BH-Größe hat Madame?«

Ich stellte mir die Tasche zwischen die Füße.

»Ungefähr so«, sagte ich und wölbte meine Hände ca. fünfzehn Zentimeter vor der Brust.

»Sie haben keine Ahnung?« fragte die Verkäuferin ein wenig schroff. »Wie groß ist sie denn?«

»Na ja, sie geht mir ungefähr bis hier«, antwortete ich und zeigte auf meine Schulter.

»Ich verstehe« (konsternierter Blick). »Hören Sie, ich gebe Ihnen einen 90 C, mag sein, daß er zu groß ist, aber die Kundin kann ihn problemlos umtauschen. Und Sie heben den Kassenbon gut auf, ja?«

»Danke. Sehr schön«, sagte ich im Ton desjenigen, der jeden Sonntag mit seinen Kindern in den Wald geht und dabei die Trinkflaschen und Regenjacken nicht vergißt.

»Und als Slip? Wollen Sie lieber das klassische Modell oder den Tanga? Das heißt, ich habe auch noch einen Stringtanga, aber ich glaube nicht, daß es das ist, was Sie suchen.«

Was mischst du dich da ein, Madame Micheline von den Galeries Lafayette?

Man sieht gleich, daß du DIE Sarah Briot von Chopard & Minont nicht kennst. Die ihren Nabel immer ein winziges bißchen sehen läßt und die ohne zu klopfen die Büros der anderen betritt.

Doch als sie mir das Modell zeigte, ist mir ganz anders geworden. Nein, sowas konnte man doch nicht anziehen. Bestenfalls konnte es als Folterinstrument durchgehen. Ich habe den Tanga genommen, der »dieses Jahr ganz brasilianisch ist, nur an den Hüften weniger ausgeschnitten, wie Sie selbst sehen können. Soll ich ihn als Geschenk verpacken?«

Einen Tanga, also.

Uff.

Ich habe das rosa Päckchen zwischen zwei Aktenordner und meinen Stadtplan von Paris gesteckt und bin an den Bildschirm zurückgekehrt.

Von wegen Pause.

Wenn erst mal Kinder da sind, wäre vieles bestimmt leichter zu entscheiden. Ich bräuchte nur zu sagen: »Nein, Kinder, kein Waffeleisen – also bitte.«

★

Amerache war es, mein Kollege vom Export, der eines Tages zu mir sagte:

»Sie gefällt dir, oder?«

Wir waren bei Mario und gerade dabei, unsere Essensmarken zu zählen, und dieser Blödmann wollte einen auf Armeekumpel machen, Mensch mach schon, erzähl mir alles, damit ich dir in die Seite boxen kann.

»Wenigstens hast du einen guten Geschmack!«

Ich hatte überhaupt keine Lust, mich mit ihm zu unterhalten. Aber auch überhaupt keine.

»Sie scheint ziemlich gut zu sein« (kräftiges Augenzwinkern).

Mißbilligend schüttelte ich den Kopf.

»Das hat mir Dujoignot erzählt.«

»Dujoignot ist mit ihr gegangen?«

127

Ich wußte plötzlich bei den Essensmarken nicht mehr, wo ich war.

»Nee, aber er hat einiges von Movard erfahren, und Movard hat sie gehabt, ich kann dir sagen.«

Und schon macht er eine Geste, als wollte er die Hände auswringen, während er mit seinem Mund das kleine o von o la la formte.

»Tja, eine ganz Heiße ist das, die Briot, die hat es faustdick hinter den Ohren, soviel ist sicher. Sachen, die kann ich dir gar nicht erzählen.«

»Erzähl sie nicht. Wer ist dieser Movard?«

»Der war in der PR-Abteilung, aber er ist gegangen, bevor du kamst. Wir waren eine Nummer zu klein für ihn, na ja, du verstehst schon.«

»Ich verstehe.«

Armer Amerache. Er kann sich gar nicht mehr einkriegen. Er denkt bestimmt an die ganzen Stellungen.

Armer Amerache. Weißt du, daß dich meine Schwestern Armer-Arsch nennen und sich beim Gedanken an deinen Ford Taunus vor Lachen schütteln?

Armer Amerache, der versucht hat, Myriam anzubaggern, und außerdem einen goldenen Siegelring trägt mit eingelassenen Initialen.

Armer Amerache. Der noch auf intelligente Mädchen hofft und zu seinem ersten Rendez-vous mit dem Handy in einer Plastikhülle am Gürtel geht und mit dem Autoradio unterm Arm.

Armer Amerache. Wenn du wüßtest, wie meine Schwestern über dich reden – wenn sie über dich reden.

*

Nichts läßt sich vorhersehen. Nicht, wie die Dinge sich entwickeln noch wieso ganz einfache Dinge plötzlich ungeahnte Ausmaße annehmen. Zum Beispiel, daß sich mein Leben wegen einhundertfünfzig Gramm grauer Seide auf einen Schlag verändern würde.

*

Seit fünf Jahren und fast acht Monaten wohne ich mit meinen Schwestern in einer Wohnung von 110 m^2 in der Nähe der Metrostation Convention.

Anfangs habe ich nur mit meiner Schwester Fanny da gewohnt. Die vier Jahre jünger ist als ich und an der Universität Paris V Medizin studiert. Es war die Idee unserer Eltern, um Geld zu sparen und sicherzustellen, daß die Kleine in Paris nicht verlorengeht, wo sie bisher nur Tulle, sein Gymnasium, seine Cafés und seine frisierten Mofas kannte.

Mit Fanny verstehe ich mich gut, denn sie sagt nicht viel. Und sie ist immer mit allem einverstanden.

Zum Beispiel, wenn sie mit Kochen dran ist und ich, sagen wir, eine Seezunge mitbringe, weil ich Appetit darauf habe, ist sie nicht der Typ zu stöhnen, daß ich ihre ganzen Pläne durcheinanderbringe. Sie paßt sich an.

Mit Myriam ist es schon anders.

Myriam ist die Älteste. Wir sind nicht mal ein Jahr auseinander, aber wenn Sie uns sehen würden, könnten Sie sich kaum vorstellen, daß wir Bruder und Schwester sind. Sie redet die ganze Zeit. Ich denke fast, daß sie ein wenig meschugge ist, aber das ist normal, sie ist die Künstlerin in der Familie.

Nach dem Kunststudium hat sie Photographie gemacht, Collagen aus Hanf und Stahlwolle, Clips mit Farbflecken auf der Linse, Dinge mit ihrem Körper, räumliche Kreationen mit Loulou de la Rochette, Demos, Skulpturen, Tanz und was weiß ich nicht alles.

Zur Zeit malt sie Sachen, die ich kaum begreife, auch wenn ich die Augen ein bißchen zusammenkneife, aber laut Myriam fehlt mir die künstlerische Ader, und ich habe keinen Sinn für das Schöne. Soll mir recht sein.

Das letzte Mal, daß wir uns angeschrien haben, war, als wir zusammen in der Boltanski-Ausstellung waren (was für eine Idee aber auch, mich zu so was mitzuschleppen – also wirklich. Ich habe mich angestellt wie ein Idiot, weil ich nicht wußte, wo die Ausstellung anfing und wo sie aufhörte).

Myriam ist ein Mensch mit einem großen Herz. Seit sie fünfzehn ist, schleppt sie alle sechs Monate (was ungefähr achtunddreißig Mal ergibt, wenn ich mich nicht verrechnet habe), den Mann ihres Lebens an. Den Besten, den Wahren, die Hochzeit in Weiß, Das wär's, dieses Mal ist es was Ernstes, den Letzten, den Sicheren, den Letzten der Letzten.

Ganz Europa zu ihren Füßen: Yoann war Schwede, Giuseppe Italiener, Erick Holländer, Kiko Spanier und Laurent aus St-Quentin-en-Yvelines. Bleiben noch dreiunddreißig weitere – aber im Moment komme ich nicht auf ihre Namen.

Als ich aus meiner Einzimmerwohnung raus bin, um mit Fanny zusammenzuziehen, war Myriam mit Kiko zusammen. Ein künftiges Genie von einem Regisseur.

Anfangs haben wir nicht viel von ihr gesehen. Von Zeit zu Zeit haben sich die beiden zum Abendessen eingeladen, und Kiko hat den Wein mitgebracht. Sehr guten immer. (Zum Glück, er hatte ja den lieben langen Tag nichts anderes zu tun, als den Wein auszusuchen.)

Ich habe Kiko sehr gemocht. Er sah meine Schwester schmerzerfüllt an, dann schenkte er sich nach und schüttelte den Kopf. Kiko rauchte komische Sachen, und am nächsten Tag mußte ich Geißblattspray versprühen, um den Geruch zu vertreiben.

Die Monate gingen dahin. Myriam kam immer häufiger und fast immer allein. Sie schloß sich mit Fanny in ihrem Zimmer ein, und ich hörte sie bis mitten in die Nacht kichern. Einmal, als ich in ihr Zimmer ging, um zu fragen, ob sie Kräutertee oder irgendwas anderes haben wollten, lagen sie beide ausgestreckt auf dem Boden und hörten ihre alte Kassette von Jean-Jacques Goldman: »Puisquööööö tu paaaaars ... et njanjanja.«

Pathetisch.

Manchmal ging Myriam wieder. Manchmal nicht.

Plötzlich stand eine zusätzliche Zahnbürste in dem Duralexglas im Badezimmer, und nachts war das Schlafsofa häufig in Gebrauch.

Und dann eines Tages sagte sie:

»Wenn es Kiko ist, sag ihm, daß ich nicht da bin«, und deutete auf das Telefon.

Und dann, und dann, und dann. Eines Morgens hat sie mich gefragt:

»Stört es dich, wenn ich ein bißchen bei euch bleibe? Ich werde mich natürlich an den Ausgaben beteiligen.«

Ich mußte aufpassen, daß ich meinen Zwieback nicht zerbrach, denn wenn ich eine Sache nicht ab kann, dann ist das, wenn mein Zwieback bricht, und ich habe gesagt:

»Kein Problem.«

»Das ist nett. Danke.«

»Nur eine Sache.«

»Ja?«

»Mir wäre lieber, du würdest zum Rauchen auf den Balkon gehen.«

Sie hat mich angelächelt, ist aufgestanden und hat mir einen dicken Kuß gegeben.

Natürlich ist mein Zwieback zerbrochen, und ich habe gedacht: »Das fängt ja gut an« und habe in meiner Schokolade gerührt, um die Krümel herauszufischen, aber ich habe mich trotzdem gefreut.

★

Es hat mich trotz allem den ganzen Tag lang verfolgt, und am Abend habe ich dann Tacheles geredet: Wir teilen uns die Miete im Rahmen des Möglichen, wir wechseln uns bei den Einkäufen, in der Küche und im Haushalt ab, und außerdem, Mädels, werft einen Blick auf die Kühlschranktür, dort hängt ein Kalender mit unseren Wochen: Fanny, du mit rosa Filzstift, Myriam, du mit blau und ich mit gelb. Vielen Dank auch fürs Bescheidsagen, wenn ihr auswärts eßt oder wenn ihr Gäste mitbringt, und à propos Gäste, wenn ihr Männer mit nach Hause bringt, mit denen ihr die Absicht habt zu schlafen, dann sprecht euch bitte ab wegen des Zimmers und –

»He, ist ja schon gut, ist ja schon gut, reg dich ab«, hat Myriam gesagt.

»Allerdings«, hat ihre Schwester geantwortet.

»Und du? Wenn du eine Puppe mitbringst, sei so nett und sag uns Bescheid, ja? Dann lassen wir unsere Netzstrümpfe und unsere benutzten Pariser verschwinden.«

Und sie schütteln sich vor Lachen.

O je.

Unser Arrangement hat ziemlich gut funktioniert. Ich gebe zu, daß ich nicht recht daran geglaubt hatte, aber ich hatte mich geirrt. Wenn Frauen wollen, daß etwas klappt, dann klappt es. So einfach ist das.

Wenn ich jetzt daran denke, wird mir klar, in welchem Maße Myriams Eintreffen für Fanny wichtig war.

Sie ist das komplette Gegenteil von ihrer Schwester, sie ist romantisch und treu. Und sensibel.

Sie verliebt sich immer in einen unnahbaren Typen am Ende der Welt. Seit sie fünfzehn ist, wartet sie jeden Morgen auf Post und zuckt zusammen, sobald das Telefon klingelt.

Das ist doch kein Leben.

Da war zum Beispiel Fabrice, der in Lille wohnte (von Tulle aus, was für ein Akt) und der sie mit einer Flut leidenschaftlicher Briefe überschwemmt hat, in denen er nur von sich sprach. Vier Jahre unreifer und verhinderter Liebe.

Dann gab es Paul, der als Arzt ohne Grenzen nach Burkina-Faso gegangen ist und ihr eine aufkeimende Berufung hinterlassen hat, samt der Energie, gegen die langsame Post zu wettern, und vieler Tränen zum Weinen. Fünf Jahre exotischer und verhinderter Liebe.

Aber die jetzige Situation schießt den Vogel ab: Ich meine verstanden zu haben, anhand ihrer nächtlichen Gespräche und der Anspielungen bei Tisch, daß Fanny in einen Arzt verliebt ist, der bereits verheiratet ist.

Ich habe gehört, wie sie sich im Badezimmer unterhalten haben, Myriam, die beim Zähneputzen gefragt hat:

»Haa er Hinder?«

Ich nehme an, daß Fanny auf dem Klodeckel saß.

»Nein.«

»Dahhh ihhh auh behher hho – (sie spuckt aus) – mit Kindern muß es ganz furchtbar sein, weißt du. Also, ich könnte das jedenfalls nicht.«

Fanny hat nicht geantworet, aber ich bin sicher, daß sie auf ihren Haaren herumgekaut und dabei die Badezimmermatte angestarrt hat oder ihre Zehen.

»Man könnte meinen, du ziehst die an.«

»…«

»Du gehst uns auf die Nerven mit deinen Beiß-mich-nicht-Typen. Und außerdem sind alle Ärzte Nervensägen. Er fängt bestimmt noch mit Golf an und rennt dann alle naselang zu irgendwelchen Kongressen im Club Méditerrannée nach Marrakesch oder wo auch immer, da bist du ständig allein.«

»…«

»Und außerdem, das sag ich dir. Nur für den Fall, daß es gutgeht, denn, wer sagt dir, daß es überhaupt gutgeht? Du glaubst doch wohl nicht, daß die andere ihre Beute so leicht ziehen läßt. Sie hängt nämlich an seiner afrikanischen Bräune, um die Zahnarztfrau bei den Rotariern zu ärgern.«

Fanny scheint zu lachen, das ist an ihrer Stimme zu erkennen. Sie murmelt:

»Wahrscheinlich hast du recht.«

»Klar hab ich recht!«

Sechs Monate ehebrecherischer und verhinderter Liebe. (Vielleicht.)

»Komm doch am Samstagabend mal mit in die Galerie Delaunay, erstens kenn ich da den Catering-Menschen, das Essen wird demnach spitze. Und zweitens bin ich sicher, daß Marc auch da ist. Du mußt ihn unbedingt kennenlernen! Du wirst sehen, er ist ein toller Typ! Außerdem hat er einen phantastischen Arsch.«

»Ppphh, ich kann's mir lebhaft vorstellen. Was iss'n das für ne Ausstellung?«

»Weiß ich nicht mehr. Du, kannst du mir bitte mal mein Handtuch geben?«

Myriam besserte häufig unseren üblichen Speisezettel auf, indem sie kleine Leckerbissen von Chez Fauchon und ein paar gute Flaschen mitbrachte. Man muß zugeben, sie hatte sich mal wieder was Tolles einfallen lassen: Wochenlang hatte sie Bücher und Zeitschriften über Diana gewälzt (es war unmöglich, sich durch das Wohnzimmer zu bewegen, ohne auf die Verunglückte zu treten) und hatte sich darin geübt, sie zu zeichnen. Und jedes Wochenende hat sie ihren Kram auf den Pont de l'Alma geschleppt und die Klageweiber der ganzen Welt neben ihrem Idol abkonterfeit.

Für eine unglaubliche Summe (»Dummheit kostet«) bittet beispielsweise eine Japanerin made in tour operator meine Schwester, sie neben Diana zu malen, wie sie lacht (bei Harrys Schulfest), oder Diana, wie sie weint (mit den Aidskranken von Belfast), oder Diana, wie sie Anteil nimmt (mit den Aidskranken von Liverpool), oder Diana, wie sie schmollt (am fünfzigsten Jahrestag der Landung der Alliierten).

Ich würdige die Künstlerin und sorge dafür, daß der Wein wohltemperiert ist.

Ja, unser Arrangement hat gut funktioniert. Fanny und ich unterhielten uns kaum noch miteinander, aber wir lachten viel mehr zusammen. Myriam wurde keineswegs ruhiger, aber sie malte. Für meine Schwestern war ich der ideale Mann, nur nicht zum Heiraten.

Ich habe dazu nie was gesagt, habe lediglich die Schultern gezuckt und die Ofentür überwacht.

★

Es bedurfte also einer Handvoll Wäsche, um einen Donnerschock auszulösen.

Vorbei die Abende in der Sofaecke, von wo ich seufzend meine Schwestern betrachte. Vorbei Fannys Cocktails made in Stationszimmer, die das Fleisch in Wallung bringen und dir eine Menge geiler Geschichten in Erinnerung rufen. Vorbei die heftigen Auseinandersetzungen:

»Bemüh mal dein Gedächtnis, Mann! Das ist wichtig! Hieß er jetzt Lilian oder Tristan???«

»Keine Ahnung. Er hat ziemlich genuschelt, dein Typ.«

»Das darf doch nicht wahr sein! Machst du das extra oder was? Versuch dich zu erinnern!«

»Kann ich mal mit Myriam sprechen, hier ist Ltfrgzqan.« Reicht dir das?

Und sie verschwand in die Küche.

»Es wäre nett, wenn du die Kühlschranktür nicht zuknallen würdest.«

»WUMM.«

»Und ihm die Adresse eines guten Logopäden geben würdest.«

»Schschschblödmann.«

»He, dir könnte es auch nicht schaden.«

WUMM.

Vorbei die Versöhnungen vor dem berühmten Poulet Boursin (»Und? Meinst du nicht auch, du bist besser bei uns aufgehoben als bei diesem Ltfrgzqan in irgendeinem sterilen Neppladen?«).

Vorbei die filzstiftmarkierten Wochen, vorbei der Markt am Samstagmorgen, vorbei die *Galas* auf der Toilette, auf der Horoskopseite aufgeschlagen, vorbei die Künstler jeder Couleur, die uns Boltanskis Lumpen näherbringen wollen, vorbei die durchgemachten Nächte, vorbei die Fotokopien, nach denen Fanny abgehört werden mußte, vorbei der Streß, wenn die Ergebnisse bekanntgegeben wurden, vorbei die finsteren Blicke der Nachbarin unter uns, vorbei die Lieder von Jeff Buckley, vorbei die Sonntage auf dem Fußboden beim Comiclesen, vorbei die Haribo-Orgien vor *Sacrée soirée*, vorbei die offene Zahnpastatube, die austrocknet und mich verrückt macht.

Vorbei die Jugend.

*

Wir hatten ein Abendessen organisiert, um Fannys Examen zu feiern. Sie konnte allmählich das Ende des Tunnels erkennen.

»Uff! Mehr als zehn Jahre«, seufzte sie. Um den niedrigen Tisch saßen ihr Assistenzarzt (ohne Ehering, der Feigling), (künftiger Golfer in Marrakesch, dabei bleibe ich), ihre Freundinnen vom Krankenhaus, darunter die berühmte Laura, mit der meine Schwestern mich auf unzählige Weisen verkuppeln wollten und zig Pläne ausgeheckt hatten, einer fauler als der andere, weil sie angeblich einmal mit Tremolo in der Stimme von mir gesprochen hatte (O je! Wenn ich nur daran denke, wie sie mich zu einer Überraschungsparty bei der berühmten Laura eingeladen hatten und ich schließlich den ganzen Abend mit der Furie allein war, um ihre Kontaktlinsen im Ziegenfellteppich zu suchen, und wie ich meinen Hintern in Sicherheit bringen mußte).

Marc war da (ich habe die Gelegenheit genutzt, um mir anzuschauen, was »ein hübscher Arsch« ist – na ja).

Freunde von Myriam waren da, die ich noch nie gesehen hatte.

Ich habe mich gefragt, wo sie nur diese seltsamen Gestalten aufliest, Typen, von oben bis unten tätowiert, und Mädchen auf unglaublichen Stelzen, die über jeden Scheiß lachen und dabei schütteln, was ihnen als Frisur dient.

Zu mir hatten sie gesagt:

»Lad deine Kollegen ein, wenn du willst. Ist doch wahr, du stellst uns nie mal jemanden vor.«

Und aus gutem Grund, Mädels, habe ich später gedacht, als ich die Flora und Fauna bewunderte, die meine Erdnüsse futterte, auf das Cinna-Sofa gefläzt, das meine Mutter mir als Belohnung für mein Buchhalterdiplom geschenkt hatte, aus gutem Grund.

Es war schon reichlich spät, und wir waren alle ziemlich hinüber, als Myriam – die losgezogen war, um in meinem Zimmer eine Duftkerze zu holen – wie eine brünstige Pute glucksend wiederkam mit Sarah Briots Büstenhalter zwischen Daumen und Zeigefinger.

Himmel.

Jetzt war ich dran.

»He, was ist denn das?! Olivier, bist du dir darüber im klaren, daß sich in deinem Zimmer Artikel eines Sex-Shops befinden? Genug, um allen Parisern einen Steifen zu bescheren! Sag nicht, daß du nichts davon weißt!?«

Und schon war sie nicht mehr zu halten und zog eine Wahnsinns-Show ab, völlig durchgeknallt.

Sie schwänzelt durchs Zimmer, mimt einen Striptease, schnuppert an dem Slip, hält sich an der Halogenlampe fest und fällt rückwärts um.

Völlig durchgeknallt.

Alle anderen halten sich die Bäuche vor Lachen. Sogar der Golfchampion.

»Okay. Das reicht«, habe ich gesagt. »Gib mir die Sachen.«

»Für wen sind die bestimmt? Erst sagst du uns, für wen die sind – oder was meint ihr?«

Und schon pfeifen diese Idioten auf den Fingern, schlagen sich die Gläser an die Zähne und versiffen dabei mein Wohnzimmer!

»Vor allem, hast du gesehen, was für Lollos sie hat!!! Das ist mindestens ein 95er!!!« brüllt diese Idiotin von Laura.

»Nicht übel, was«, hat Fanny mir zugeflüstert und dabei allerhand Grimassen gezogen.

Ich bin aufgestanden, habe mir meinen Schlüssel und die Jacke geschnappt und die Tür hinter mir zugeschlagen.

WUMM.

Im Ibis Hotel bei der Porte de Versailles habe ich geschlafen.

Nein, ich habe nicht geschlafen. Ich habe nachgedacht.

Einen Großteil der Nacht habe ich im Stehen verbracht, die Stirn gegen das Fenster gepreßt, und auf den Parc des Expositions geschaut.

Ist der häßlich.

Am nächsten Morgen war meine Entscheidung gefallen. Ich hatte nicht einmal einen Kater und habe mir ein grandioses Frühstück reingezogen.

*

Dann bin ich auf den Flohmarkt gegangen.

Es kommt äußerst selten vor, daß ich mir Zeit für mich nehme.

Ich fühlte mich wie ein Tourist in Paris. Ich hatte die Hände in den Taschen und roch nach dem Aftershave Nina Ricci for Men, das in allen Ibis-Hotels der Welt verteilt wird. Ich hätte nicht übel Lust gehabt, meiner Arbeitskollegin zu begegnen.

»O Olivier!«

»O Sarah!«

»O Olivier, wie gut du riechst.«

»O Sarah …«

Ich tankte Sonne vor einem gezapften Bier auf der Terrasse im Café des amis. Heute war der 16. Juni, Mittagszeit, das Wetter war schön, mein Leben auch.

Ich kaufte einen Vogelkäfig mit allerhand Schnörkeln und Schnickschnack aus Eisen.

Der Typ, der ihn mir verkauft hat, hat mir versichert, daß er aus dem 19. Jahrhundert stammt und einer sehr angesehenen Familie gehört hat, man hatte ihn in einem Herrenhaus gefunden, ganz intakt und blubber blubber, blablabla, und wie wollen Sie zahlen?

Ich hätte ihm gerne gesagt: Verausgab dich nicht, mein Lieber, mir ist das egal.

Als ich nach Hause kam, roch es schon im Erdgeschoß nach Meister Proper.

Die Wohnung war tiptop. Kein Staubkörnchen zu sehen. Und auf dem Küchentisch sogar eine Nachricht: »Wir sind im Jardin des Plantes, bis heute abend. Küßchen.«

Ich habe meine Uhr abgenommen und sie auf den Nachttisch gelegt. Das Päckchen von Christian Dior lag daneben, als wäre nichts gewesen.

Aaaahhhh!!! Meine Lieben.

Heute abend werde ich euch ein Poulet Boursin machen,
ein un-ver-geß-li-ches Poulet Boursin!
    Okay, zuerst den Wein holen und eine Schürze überzie-
hen.
    Und zum Dessert einen Grießpudding mit viel Rum.
Fanny liebt das.

Ich will nicht behaupten, daß wir uns in die Arme gefallen
sind, uns ganz fest gedrückt und den Kopf geschüttelt haben, wie die Amerikaner das machen. Sie haben mir nur
ganz vorsichtig zugelächelt, als sie zur Tür hereinkamen,
und in ihren Gesichtern habe ich sämtliche Blümchen aus
dem Jardin des Plantes erkennen können.
    Ausnahmsweise hatten wir es mal nicht eilig, den Tisch
abzuräumen. Nach der ausgiebigen Fete von gestern abend
hatte kein Mensch Lust, heute auszugehen. Mimi hat uns
am Küchentisch einen Pfefferminztee serviert.

»Was ist das für ein Käfig?« hat Fanny gefragt.
    »Den hab ich heute morgen bei einem Flohmarkttypen
gekauft, der nur alte Käfige hat. Gefällt er dir?«
    »Ja.«
    »Na ja, der ist für euch.«
    »Ach so! Danke schön. Und womit haben wir den ver-
dient? Weil wir so taktvoll und feinfühlig sind«, hat Myriam
gescherzt und sich mit ihrer Schachtel Craven Richtung
Balkon begeben.
    »Als Erinnerung an mich. Ihr braucht dann bloß zu sagen,
daß der Vogel ausgeflogen ist.«
    »Wie meinst du das!?«
    »Ich gehe weg, Mädels.«

»Und wohin???«

»Ich werde woanders wohnen.«

»Mit wem???«

»Allein.«

»Aber warum denn? Ist es wegen gestern abend? Hör mal, es tut mir leid, du weißt, ich hatte zuviel getrunken und –«

»Nein, nein, mach dir keine Sorgen. Es hat nichts mit dir zu tun.«

Fanny sah richtig betroffen aus, und es fiel mir schwer, ihr ins Gesicht zu sehen.

»Hast du die Schnauze voll von uns?«

»Nee, das ist es nicht.«

»Aber was ist es dann?« Man konnte sehen, daß ihr die Tränen kamen.

Myriam stand wie angewurzelt zwischen Tisch und Fenster mit ihrem Glimmstengel im Schnabel, der traurig herunterhing.

»He, Olivier, was ist los?«

»Ich bin verliebt.«

Konntest du das nicht gleich sagen, du Idiot.

Und warum hast du sie uns nicht vorgestellt? Was? Du hast Angst, daß wir sie verjagen würden. Da kennst du uns schlecht. Was? Du kennst uns gut – Ach?

Wie heißt sie denn?

Ist sie hübsch? Ja? O Scheiße.

Was? Du hast fast noch nie ein Wort mit ihr gewechselt! Bist du bescheuert oder was? Ja, du bist bescheuert.

Aber nein, du bist nicht bescheuert.

Du hast fast noch nie ein Wort mit ihr gewechselt und ziehst ihretwegen aus? Meinst du nicht, daß du das Pferd beim Schwanz aufzäumst? Du zäumst den Schwanz auf, wo du willst? Na ja, so gesehen, na klar.

Wann wirst du mit ihr reden? Irgendwann. Okay, ich sehe schon. Hat sie Humor? Ah, um so besser, um so besser.

Liebst du sie wirklich? Darauf willst du nicht antworten? Wir gehen dir auf den Keks?

Du brauchst es nur zu sagen.

Lädst du uns zu deiner Hochzeit ein? Nur, wenn wir versprechen, uns zu benehmen?

Wer wird mich jetzt trösten, wenn mein Herz im Eimer ist?

Und ich? Wer wird mich jetzt in Anatomie abhören?

Wer wird uns jetzt verwöhnen?

Wie hübsch war sie, hast du gesagt?

Du wirst ihr ein Poulet Boursin machen?

Du wirst uns fehlen, weißt du.

*

Ich war überrascht, wie wenig Sachen ich hatte. Ich hatte bei Kiloutou einen Lieferwagen gemietet, und eine Fuhre reichte.

Ich wußte nicht, ob ich es positiv sehen sollte, in der Art von, hier ist der Beweis dafür, daß du den Gütern dieser Welt nicht allzusehr verhaftet bist, oder richtig negativ, in der Art von, sieh dir das an, Junge: Bald dreißig Jahre alt, und elf Kartons reichen für deine ganzen Sachen – das ist nicht gerade viel, oder?

Bevor ich gefahren bin, habe ich mich ein letztes Mal in die Küche gesetzt.

*

In den ersten Wochen habe ich auf einer Matratze auf dem Fußboden geschlafen. Ich hatte in einer Zeitschrift gelesen, daß das sehr gut für den Rücken sei.

Nach siebzehn Tagen war ich bei Ikea. Der Grund: furchtbare Rückenschmerzen.

Gott weiß, daß ich das Problem in alle Richtungen gewälzt hatte. Ich hatte sogar Pläne auf kariertes Papier gezeichnet.

Die Verkäuferin dachte genau wie ich: in einer derart »bescheidenen« und bescheuert geschnittenen Wohnung (man könnte meinen, ich hätte drei kleine Flure gemietet), war ein Schlafsofa das Beste.

Und das billigste ist ein Klick-Klack.

Das Klick-Klack erhält den Zuschlag.

Ich habe noch ein Küchen-Set gekauft (fünfundsechzig Teile für 399 Franc, Salatschleuder und Käsereibe inklusive), Kerzen (man weiß ja nie), ein Plaid (ich weiß nicht, irgendwie fand ich es chic, ein Plaid zu kaufen), eine Lampe (na ja), einen Fußabstreifer (vorausschauend), Regale (zwangsläufig), eine Grünpflanze (man wird sehen) und tausend weitere Kleinigkeiten (der Laden bringt es mit sich).

★

Myriam und Fanny hinterließen mir regelmäßig Nachrichten auf Band, in der Art von: Tüüüüüt, »Wie macht man den Ofen an?«, tüüüüüüt, »Wir haben den Ofen angemacht, aber jetzt fragen wir uns, wie man eine Sicherung wechselt, die ist dabei rausgeflogen«, tüüüüüüüt, »Wir wollen gerne machen, was du sagst, nur, wo hast du die Taschenlampe hingetan?«, tüüüüüüt, »He, wie war noch mal die Nummer der Feuerwehr?« tüüüüt …

Ich glaube, sie haben ein wenig übertrieben, aber wie alle Menschen, die allein leben, habe ich gelernt, auf das winzige rotblinkende Lämpchen am Anrufbeantworter zu achten oder vielmehr darauf zu hoffen, wenn ich am Abend nach Hause komme.

Dagegen ist wohl niemand gefeit.

★

Und plötzlich kommt Ihr Leben ganz schön in Fahrt.

Und wenn ich die Kontrolle über die Situation verliere, neige ich dazu, panisch zu werden, das ist bescheuert.

Was heißt das, »die Kontrolle über die Situation verlieren«?

Die Kontrolle über die Situation verlieren geht ganz einfach. Nämlich, wenn Sarah Briot eines Morgens in dem Raum aufkreuzt, in dem Sie im Schweiße Ihres Angesichts Ihren Lebensunterhalt verdienen, sich auf den Rand Ihres Schreibtischs setzt und ein wenig an ihrem Rock zupft.

Und zu Ihnen sagt:

»Du hast wohl was auf der Brille, oder wie?«

Und einen Zipfel ihrer Bluse aus dem Rock zieht und Ihre Brille sauber wischt, als wäre es das Natürlichste auf der Welt.

In dem Moment kriegen Sie einen Steifen, mit dem Sie den Tisch hochheben könnten (mit ein bißchen Training natürlich).

»Na, es sieht so aus, als wärst du umgezogen?«

»Ja, vor vierzehn Tagen.«

(Fffff einatmen – alles in Ordnung)

»Wo wohnst du jetzt?«

»Im zehnten.«

»Ach! Ist ja witzig. Ich auch.«

»Tatsächlich?!«

»Gut, dann können wir die gleiche Metro nehmen.«

(Das ist schon mal ein Anfang.)

»Machst du keine Einweihungsfete oder so was in der Art?«

»Doch doch! Na klar!«

(Erste Neuigkeit.)

»Wann?«

»Na ja, ich weiß noch nicht. Weißt du, meine letzten Möbel wurden erst heute morgen geliefert, darum ...«

»Warum nicht heute abend?«

»Heute abend? O nein, heute abend geht nicht. Bei dem ganzen Chaos und – und außerdem habe ich niemanden informiert und ...«

»Dann lädst du halt einfach nur mich ein. Mir ist das Chaos nämlich egal, weißt du, schlimmer als bei mir kann es nicht sein!«

»Öh – okay – okay, wenn du meinst. Aber dann nicht zu früh!?«

»Sehr gut. Dann habe ich noch Zeit, nach Hause zu fahren und mich umzuziehen. Paßt dir neun Uhr?«

»Einundzwanzig Uhr, sehr gut.«

»Okay, also dann bis später?«

Genau das nenne ich »die Kontrolle über die Situation verlieren«.

Ich bin früh gegangen und habe zum ersten Mal in meinem Leben das Licht gelöscht, ohne mein Büro vorher aufgeräumt zu haben.

Die Concierge hat mich abgepaßt, ja, sie haben die Möbel geliefert, aber was für ein Akt, mit dem Sofa die sechs Stockwerke rauf!

Danke, Madame Rodriguez, danke. (Ich werde Ihr Weihnachtsgeld nicht vergessen, Madame Rodriguez.)

Drei kleine Flure in Form eines Schlachtfeldes, das hat vielleicht Charme.

★

Taramas kalt stellen, das Huhn in Rotweinsoße auf kleiner Flamme erhitzen, okay. Die Flaschen aufmachen, einen Behelfstisch aufstellen, im Eiltempo noch mal nach unten zum Araber, Papierservietten und eine Flasche Mineralwasser kaufen, die Kaffeemaschine vorbereiten, duschen, Parfum auflegen (Eau Sauvage), die Ohren putzen, ein Hemd suchen, das nicht allzu zerknittert ist, die Halogenleuchte dämpfen, das Telefon ausstöpseln, Musik auflegen (das Album *Pirates* von Rickie Lee Jones, dabei ist alles möglich) (nur nicht zu laut), das Plaid drapieren, die Kerzen anzünden (so so), tief einatmen, blasen, nicht mehr in den Spiegel schauen.

Und die Präservative? (In die Nachttischschublade, wirkt das nicht ein bißchen zu nah? Und ins Badezimmer, ist das nicht vielleicht ein bißchen zu weit?)

Klingeling.

Kann man allen Ernstes sagen, daß ich die Situation im Griff habe?

Sarah Briot betritt meine Wohnung. Schön wie die Nacht.

Später am Abend, nachdem wir viel gelacht, gut gegessen und ein paarmal verträumt geschwiegen hatten, war klar, daß Sarah Briot die Nacht in meinen Armen verbringen würde.

Allerdings ist es mir schon immer schwergefallen, gewisse Entscheidungen zu treffen, und dabei war es nun wirklich der Moment, das Glas abzustellen und etwas zu wagen.

Als säße die Frau von Roger Rabbit neben Ihnen und Sie dächten an Ihren Bausparvertrag.

Sie hat mir ich weiß nicht was alles erzählt und mich aus den Augenwinkeln beobachtet.

Und plötzlich – plötzlich mußte ich an das Sofa denken, auf dem wir saßen.

Ich fing an, mich ernsthaft, intensiv und ausführlich zu fragen, wie ein solches Klick-Klack wohl auseinanderzuklappen wäre.

Es wäre wohl am besten, überlegte ich, wenn ich sie zunächst einmal ziemlich stürmisch küssen würde, um sie dann geschickt auf den Rücken zu werfen und ohne Probleme flachzulegen.

Ja, aber dann – das Klick-Klack?

Ich sah mich schon, wie ich mich insgeheim über ein klemmendes Schnappschloß aufregte, während ihre Zunge meine Mandeln kitzelte und ihre Hände meinen Gürtel suchten.

Na ja – so weit war es im Augenblick noch nicht. Sie zeigte vielmehr Anflüge eines beginnenden Gähnens.

Von wegen Don Juan. Erbärmlich.

Und dann mußte ich an meine Schwestern denken und habe beim Gedanken an diese beiden Harpyien in mich hineingelacht.

Sie hätten sich sicher köstlich amüsiert, wenn sie mich in diesem Moment gesehen hätten, meinen Oberschenkel an dem von Miss Universe, und voller häuslicher Sorgen, wie man wohl ein Schlafsofa von Ikea aufmacht.

In diesem Augenblick dreht sich Sarah Briot zu mir um: »Du siehst süß aus, wenn du lächelst.«

Und küßt mich.

Und da, genau in diesem Augenblick, mit 54 Kilo Weiblichkeit, die sich sanft auf meinen Knien niedergelassen hatten, habe ich die Augen geschlossen, meinen Kopf in den Nacken gelegt und ganz fest gedacht: »Danke, Mädels.«

Epilog

M arguerite! Wann gibt's was zu essen?«
»Du kannst mich mal.«

Seit ich angefangen habe, Erzählungen zu schreiben, nennt mich mein Mann Marguerite, schlägt mir auf den Hintern und erzählt bei Essenseinladungen, daß er dank meiner Autorenrechte bald aufhören wird zu arbeiten:

»Na klar – und für mich!? Kein Problem, ich warte, bis es soweit ist, dann hole ich die Kleinen im Jaguar XK8 von der Schule ab. Das ist so abgesprochen. Natürlich muß ich ihr von Zeit zu Zeit die Schultern massieren und ihre Selbstzweifel ertragen, aber okay – das Coupé? Das nehm ich in drachengrün.«

Er spinnt weiter damit rum, und die anderen wissen nicht recht, was sie dazu sagen sollen.

Sie fragen mich in einem Ton, als ging's um eine ansteckende Geschlechtskrankheit:

»Stimmt das, du schreibst?«

Und ich zucke mit den Schultern und zeige dem Herrn des Hauses mein Glas. Ich murmele, nein, nicht wirklich, eigentlich nicht. Und dieser aufgedrehte Kerl, den ich in einem schwachen Moment meines Lebens geheiratet habe, setzt noch eins drauf:

»Moment mal, hat sie euch das nicht erzählt? Mausi, hast du ihnen nichts von Saint-Quentin erzählt, von deinem Preis? He! Zehntausend Mäuse immerhin!!! Zwei Abende am Computer, den sie für fünfhundert Franc auf einem

Wohltätigkeitsbasar gekauft hat, und zehntausend Mäuse, einfach so! Was will man mehr? Von den anderen Preisen ganz zu schweigen – he, Mausilein, bleiben wir auf dem Boden.«

In solchen Augenblicken hätte ich wahrhaft Lust, ihn umzubringen.

Aber ich werde es nicht tun.

Zum einen, weil er zweiundachtzig Kilo wiegt (er behauptet achtzig, reine Koketterie), und zum anderen, weil er recht hat.

Er hat recht, was wird aus mir, wenn ich anfange, zu sehr daran zu glauben?

Schmeiße ich meinen Job? Sage ich meiner Kollegin Micheline endlich einmal die Meinung? Kaufe ich mir ein kleines Notizheft in Drachenleder gebunden und mache mir Notizen *für später*? Fühle ich mich so allein, so weit weg, so nah dran, so *anders*? Werde ich andächtig vor dem Grab von Chateaubriand verharren? Sage ich: »Nee, heute abend nicht, bitte, ich habe den Kopf voll mit anderen Sachen?« Vergesse ich die Tagesmutter, weil ich noch ein Kapitel fertigschreiben muß?

Man muß sie nur mal sehen, die Kinder bei der Tagesmutter nach halb sechs. Man klingelt, alle rasen mit Herzklopfen zur Tür, derjenige, der aufmacht, ist bei Ihrem Anblick natürlich enttäuscht, weil Sie nicht seinetwegen kommen, aber nach der ersten Sekunde der Enttäuschung (die Mundwinkel gehen nach unten, die Schultern senken sich, der Teddy fällt auf den Boden), dreht er sich zu Ihrem Sohn um (der direkt hinter ihm steht) und brüllt:

»LOUIS, DEINE MAMA!!!!!«

Und Sie hören dann:

»Weiß iss ssson.«

★

Aber Marguerite hat die Nase voll von diesen Mätzchen.

Sie will Gewißheit haben. Wenn sie schon nach Combourg soll, dann will sie es lieber gleich wissen.

Sie hat ein paar Erzählungen ausgewählt (zwei durchgemachte Nächte), hat sie auf ihrer lahmen Kiste ausgedruckt (über drei Stunden für hundertvierunddreißig Seiten!), hat die Blätter an ihr Herz gedrückt und sie in den Kopierladen neben der juristischen Fakultät getragen. Sie hat sich in die Schlange aus lärmenden Studentinnen mit Plateausohlen eingereiht (und hat sich provinziell und alt gefühlt, die Marguerite).

Die Verkäuferin fragt:

»Einen weißen oder einen schwarzen Einband?«

Und schon ist sie wieder am Grübeln (weiß? das wirkt ein bißchen wie Erstkommunion und bieder, oder? Aber schwarz wirkt gewiß zu selbstsicher, sieht nach Doktorarbeit aus, nicht? O je o je).

Das junge Mädchen wird schließlich ungeduldig:

»Was ist das denn genau?«

»Geschichten.«

»Alte oder neue Geschichte?«

»Nein, nix Geschichte, literarische Geschichten, Erzählungen, verstehen Sie? Die sollen an einen Verleger geschickt werden.«

»??? Jaaa, na ja, das hilft uns für die Einbandfarbe nicht weiter.«

»Nehmen Sie, was Sie für richtig halten, ich vertraue Ihnen.« *(Alea iacta est.)*

»Na ja, dann gebe ich Ihnen türkis, das ist im Moment im Angebot: 30 Franc statt 35.« (Ein türkisfarbener Einband auf dem schicken Schreibtisch eines eleganten Verlegers an der Rive gauche – schluck).

»Okay, dann also türkis.« (Fordere das Schicksal nicht heraus, Mädchen.)

Die andere hebt den Deckel ihrer großen Rank Xerox hoch und behandelt das Ganze wie stinknormale Kopien über Zivilrecht, eh hop, alles schnell mal in alle Richtungen gedreht, eh hop, und die Ecken umgeknickt.

Die Künstlerin leidet schweigend.

Während sie die Knete kassiert, nimmt sie die Zigarette auf, die sie auf der Kasse abgelegt hatte, und sagt:

»Worum geht's da, bei Ihren Sachen?«

»Um alles.«

»Ach.«

»...«

»...«

»Aber vor allem um Liebe.«

»Ach?«

Sie kauft einen herrlichen Briefumschlag aus braunem Papier. Den stabilsten, den schönsten, den teuersten mit gepolsterten Ecken und einer unverwüstlichen Klappe. Der Rolls Royce unter den Briefumschlägen.

Sie geht zur Post und fragt nach Sondermarken, den schönsten, Marken von modernen Gemälden. Sie leckt sie liebevoll ab, klebt sie anmutig auf, belegt den Briefumschlag mit einem Zauberbann, segnet ihn, macht ein Kreuzzeichen darüber und ein paar andere Gesten der Beschwörung, die geheim bleiben müssen.

Sie nähert sich dem Schlitz »Paris und seine Vororte«, sie küßt ihren Schatz ein letztes Mal, wendet den Blick ab und läßt ihn los.

Gegenüber von der Post befindet sich eine Bar. Sie stützt den Ellbogen auf die Theke und bestellt sich einen Calvados. Auch wenn sie den nicht sonderlich mag, hat sie nun einmal ihren verfluchten Status als Künstlerin, dem sie gerecht werden muß. Sie zündet sich eine Zigarette an, und von dieser Minute an, kann man sagen, wartet sie.

★

Ich habe niemandem was erzählt.

»He? Was machst du denn mit dem Briefkastenschlüssel um den Hals?«

»Nichts.«

»He? Was machst du denn mit den ganzen Reklameblättern für den Baumarkt?«

»Nichts.«

»He? Was machst du denn mit der Tasche des Briefträgers?«

»Nichts, sage ich doch!«

»Moment mal, bist du in ihn verliebt, oder was?!«

Nein. Ich habe nichts gesagt. Stell dir vor, ich würde antworten:

»Ich warte auf die Antwort eines Verlegers.« Wie peinlich.

Es ist aber auch verrückt, was man heute an Werbung bekommt, den letzten Mist.

★

Und dann noch der Job, und Micheline mit ihren falschen, verrutschten Fingernägeln, und die Geranien, die rein müssen, und die Walt-Disney-Kassetten, die kleine elektrische Eisenbahn und der erste Besuch beim Kinderarzt in diesem Quartal, und dann der Hund, der haart, und *Eureka Street*, um das Unermeßliche zu messen, und dann das Kino, die Freunde und die Familie und weitere Emotionen (aber nicht

154

von allzugroßer Bedeutung, gemessen an *Eureka Street*, das stimmt schon).

Unsere Marguerite hat beschlossen, Winterschlaf zu halten.

★

Drei Monate später.
HALLELUJA!
HALLELUJA! HALLELU-U-U-U-JA!

Da ist er.
Der Brief.
Er ist ziemlich leicht.
Ich stecke ihn unter den Pullover und rufe Kiki an:
»Kiiiiiiiikiiiiiii!!!«
Ich werde ihn alleine lesen, im stillen, andächtig in dem kleinen Wäldchen, das allen Hunden aus der Gegend als Hundeklo dient. (Wohlgemerkt, auch in solchen Situationen behalte ich einen klaren Kopf.)

»*Madame* blablabla, *mit großem Interesse habe ich* blablabla, *weshalb ich* blablabla, *Sie gerne kennenlernen möchte* blablabla, *bitte nehmen Sie Kontakt zu meinem Sekretariat auf* blablabla, *in der Hoffnung, Sie* blablabla *verbleibe ich* blablabla ...«

Ich genieße es.
Genieße es.
Genieße es.
Marguerites Stunde der Rache hat geschlagen.

»Schatz? Wann gibt es was zu essen?«
»??? Warum fragst du mich das? Was ist los?«

»Ach, nichts, nur, daß ich nicht mehr allzuviel Zeit zum Kochen haben werde, bei all den Fanbriefen, die zu beantworten sind, ganz zu schweigen von den Festivals, den Salons, den Buchmessen, den ganzen Reisen durch Frankreich und nach Übersee, oho – mein Gott. Dabei fällt mir ein, die regelmäßigen Besuche bei der Maniküre, weil, du weißt schon – bei den Autogrammstunden müssen die Hände tadellos gepflegt sein – es ist verrückt, was für Phantasien die Leute entwickeln können.«

»Was faselst du da?«

Marguerite läßt den Brief des eleganten Verlegers von der Rive gauche auf den Kugelbauch ihres Mannes fallen, der gerade die Kleinanzeigen in der Autozeitung liest.

»He? Moment mal! Wo willst du hin?!«

»Nichts, ich bleib nicht lange weg. Ich muß nur Micheline noch etwas sagen. Mach dich schön, ich führ dich heute abend aus, ins Aigle Noir.«

»Ins Aigle Noir!???«

»Ja. Dorthin hätte Marguerite ihren Yann ausgeführt, nehme ich an.«

»Wer ist denn Yann?«

»Pffffff, laß gut sein. Du hast aber auch *null* Ahnung von der Literaturszene.«

★

Anschließend habe ich Kontakt zu dem Sekretariat aufgenommen. Einen sehr guten Kontakt, wie ich glaube, denn die junge Frau war mehr als charmant.

Vielleicht hatte sie einen leuchtendrosafarbenen Post-it-Sticker vor ihren Augen: »Wenn A. G. anruft, bitte BESONDERS charmant sein!« zweimal unterstrichen.

Vielleicht.

Die Armen, sie glauben bestimmt, ich hätte meine Erzählungen noch an andere geschickt. Sie haben Angst, zu spät zu kommen. Ein anderer Verleger, der noch eleganter ist, in einer noch schickeren Straße an der Rive gauche, mit einer noch charmanteren Sekretärin am Telefon, mit einem noch hübscheren Hintern.

O nein, das wäre zu ungerecht.

Was für eine Katastrophe, wenn ich unter einem anderen Schutzumschlag Erfolg hätte, nur weil Frau Sowieso an ihrem Telefon keinen leuchtendrosa Post-it-Sticker hatte?

Nicht auszudenken.

Der Termin ist nächste Woche. (Wir haben schon genug getrödelt.)

Vorbei die ersten materiellen Sorgen: einen Nachmittag freinehmen (Micheline, ich bin morgen nicht da!), die Kleinen unterbringen, nicht einfach irgendwo, sondern an einem Ort, an dem sie glücklich sein werden, meinen Schatz informieren:

»Ich fahre morgen nach Paris.«

»Warum?«

»Was Geschäftliches.«

»Ein Rendez-vous?«

»So gut wie.«

»Wer ist es denn?«

»Der Briefträger.«

»Aha, das hätte ich mir denken können.«

Da taucht das einzig wirklich wichtige Problem auf: Was soll ich anziehen?

Stil zukünftige Autorin und ohne jede Eleganz, denn das wahre Leben spielt anderswo. Lieben Sie mich nicht wegen meiner vollen Brüste, lieben Sie mich wegen meines geistigen Gehalts.

Stil zukünftige Legehenne für Bestseller, mit Dauerwelle, denn das wahre Leben ist hier. Lieben Sie mich nicht wegen meines Talents, lieben Sie mich wegen meiner Nähe zum Volk.

Stil Aufreißerin für elegante Männer an der Rive gauche, zum sofortigen Verzehr, denn das wahre Leben spielt sich auf Ihrem Schreibtisch ab. Lieben Sie mich nicht wegen meines Manuskripts, lieben Sie mich wegen meines gehaltvollen Innenlebens.

He Atala, ganz ruhig.

Ich bin schließlich viel zu gestreßt, das ist wohl nicht der Tag, an dem man an seine schönen Beine denken und einen Strumpf auf dem Teppich verlieren sollte. Dies ist bestimmt der wichtigste Tag in meiner bescheidenen Existenz, und ich werde nicht alles aufs Spiel setzen mit einem zwar unwiderstehlichen, aber ganz und gar unbequemen Aufzug.

(O ja! Ein Miniminirock ist ein unbequemer Aufzug.)

Ich werde in Jeans gehen. Nicht mehr und nicht weniger. In meiner alten 501, zehn Jahre alt, im Faß gereift, stone washed mit Kupfernieten und dem roten Etikett auf der rechten Hinterbacke, die meine Form und meinen Geruch angenommen hat. Meine Vertraute.

Ich habe aber doch etwas Mitgefühl für den eleganten und brillanten Herrn, der meine Zukunft in seinen schlanken Fingern hält (gebe ich sie raus? gebe ich sie nicht raus?), Jeans wären ein wenig heftig, das muß ich zugeben.

Oh, was für Sorgen, was für Sorgen.

Okay, ich habe mich entschieden. In Jeans, aber mit berauschenden Dessous.

Aber die wird er doch gar nicht sehen, werden Sie mir

vorhalten. Tatatata, nicht mit mir, man kommt nämlich nicht so ohne weiteres in die höchste Verleger-Etage, ohne eine besondere Begabung beim Aufspüren feinster und noch so unwahrscheinlicher Dessous zu haben.

Nein, solche Männer wissen Bescheid.

Sie wissen, ob die Frau, die ihnen gegenübersitzt, irgend so ein Baumwollteil trägt, das bis zum Bauchnabel reicht, oder einen völlig unförmigen rosa Schlüpfer von Monoprix oder eins dieser kleinen verrückten Dinger, die die Frauen erröten lassen (wegen des Preises, den sie zahlen) und die Männer rot werden lassen (wegen des Preises, den sie zahlen müssen).

Natürlich wissen sie Bescheid.

Ich habe voll zugeschlagen, kann ich Ihnen versichern, (das Paket zahlbar mit zwei Schecks), ich habe ein Set aus Slip und Büstenhalter gewählt, etwas total Abgehobenes.

Mein Gott.

Superware, Superstoff, Superschnitt, alles in elfenbeinfarbener Seide mit Spitzen aus Calais, bitte schön handgefertigt von kleinen *französischen* Arbeiterinnen, sanft, hübsch, wertvoll, zart, unvergeßlich, Stil: zergeht auf der Zunge, aber nicht in der Hand.

Schicksal, hier bin ich.

Als ich mich in der Boutique im Spiegel betrachtete (die Schlauköpfe haben eine Spezialbeleuchtung, die Sie schlank und braungebrannt wirken läßt, die gleichen Halogenlampen, die in den Supermärkten der Reichen über toten Fischen hängen), habe ich mir gesagt, zum ersten Mal, seit Marguerite existiert:

»Nein, ich bereue sie nicht, die vielen Stunden mit Nägelkauen, als ich mir vor dem Winzbildschirm meines Computers ein Ekzem zugezogen habe. O nein! Das alles, das ganze Tauziehen gegen die Angst und das mangelnde Selbstvertrauen, die ganzen Kleckereien in meinem Kopf und all die Dinge, die mir entgangen sind oder die ich vergessen habe, weil ich zum Beispiel an Klick-Klack gedacht habe, nein, ich bereue sie nicht.«

Den genauen Preis kann ich nicht nennen, denn bei aller *political correctness*, der Zahnbrücke meines Mannes, der Autoversicherung, der Höhe der staatlichen Beihilfe und so weiter, wären Sie vermutlich schockiert, aber Sie sollen wissen, daß er enorm ist. Und angesichts des Gewichts wollen wir vom Kilopreis erst gar nicht reden.

Aber schließlich: Von nichts kommt nichts, mit Speck fängt man Mäuse, und man wird nicht verlegt, wenn man keinen persönlichen Einsatz zeigt, oder?

★

Da wären wir. Sechstes Arrondissement, Paris.

Das Viertel, in dem man ebenso viele Schriftsteller trifft wie Politessen. Im Herzen des Lebens.

Ich kneife.

Ich habe Bauchschmerzen, mir ist übel, die Beine tun mir weh, riesige Schweißperlen bilden sich, und mein Slip zu ★★★ Mäusen zieht sich in meine Gesäßspalte.

Ein schönes Bild.

Ich verlaufe mich, nirgendwo steht der Straßenname, es gibt Galerien mit afrikanischer Kunst in allen Himmelsrichtungen, und nichts ähnelt einer afrikanischen Maske mehr als eine andere afrikanische Maske. Ich fange an, afrikanische Kunst zu hassen.

Schließlich bin ich da.

Man läßt mich warten.

Gleich falle ich in Ohnmacht, glaube ich, ich atme, wie man es uns im Geburtsvorbereitungskurs beigebracht hat. Komm schon – ganz – ruhig –

Halte dich gerade. Beobachte deine Umgebung. Das kann nie schaden. Atme tief durch.

»Ist alles in Ordnung mit Ihnen?«

»Öhh, ja, ja, alles in Ordnung.«

»*Er* ist in einer Besprechung, aber es dauert nicht mehr lange, *Er* kommt sicher gleich.«

»…«

»Möchten Sie einen Kaffee?«

»Nein. Danke.« (He, Frau Sowieso, siehst du nicht, daß mir speiübel ist? Hilf mir, Frau Sowieso, eine Ohrfeige, ein Eimer, eine Wanne, ein Schmerzmittel, eine eiskalte Cola – irgendwas. Ich flehe dich an.)

Ein Lächeln. Sie schenkt mir ein Lächeln.

★

In Wahrheit war es Neugier gewesen. Nicht mehr und nicht weniger.

Er wollte mich sehen. Er wollte sehen, wie ich aussehe. Er wollte sehen, wer ich bin.

Mehr nicht.

Ich werde die Unterhaltung nicht wiedergeben. Im Augenblick behandle ich mein Ekzem mit fast reinem Teer, und es ist wahrlich nicht nötig, daß ich mich aufrege, angesichts der Farbe, die die Badewanne angenommen hat. Deshalb erzähle ich nichts.

Okay, ein ganz kleines bißchen erzähle ich doch: Zu einem bestimmten Zeitpunkt sagte die Katze (für weitere Details siehe Luzifer in *Aschenbrödel*), die die Maus zwischen ihren Krallen wie wild um sich schlagen sah, die Katze, die sich amüsierte – »nein, was ist sie provinziell« – die Katze, die sich Zeit nahm:

»Hören Sie, ich will Ihnen nicht vorenthalten, daß in Ihrem Manuskript ein paar interessante Sachen stecken und daß Sie einen *gewissen* Stil haben, nur (es folgen ein paar Überlegungen zu den Schreibenden im allgemeinen und dem harten Beruf des Verlegers im besonderen) wir können in der gegenwärtigen Situation und aus Gründen, die Sie leicht nachvollziehen können, Ihr Manuskript nicht herausbringen. Allerdings lege ich großen Wert darauf, Ihre Arbeit aus nächster Nähe zu verfolgen, und Sie sollen wissen, daß ich ihr stets größte Aufmerksamkeit beimessen werde. Das war's.«

Das war's.

Blödmann.

Das hat gesessen. Etwas anderes fällt mir dazu nicht ein.

Er steht auf (ausladende und herrliche Handbewegung), kommt auf mich zu, macht Anstalten, mir die Hand zu geben. Kann keinerlei Reaktion von meiner Seite erkennen, macht Anstalten, mir die Hand hinzustrecken. Kann keinerlei Reaktion von meiner Seite erkennen, macht Anstalten, meine Hand zu ergreifen. Kann keinerlei …

»Was ist los? Na, kommen Sie – nehmen Sie es nicht so schwer, Sie müssen wissen, es ist äußerst selten, daß gleich das erste Manuskript angenommen wird. Wissen Sie, ich vertraue Ihnen. Ich habe es im Gefühl, daß wir große Dinge zusammen machen werden. Und außerdem, das will ich Ihnen nicht vorenthalten, *zähle* ich sogar auf Sie.«

Halt die Luft an. Siehst du nicht, daß ich blockiert bin?

»Hören Sie, es tut mir leid. Ich weiß nicht, was mit mir los ist, aber ich kann nicht mehr aufstehen. Als wäre ich vollkommen kraftlos. Es ist total bescheuert.«

»Passiert Ihnen das öfter?«

»Nein. Es ist das erste Mal.«

»Tut Ihnen was weh?«

»Nein. Das heißt, ein bißchen schon, aber das hat andere Gründe.«

»Bewegen Sie mal die Finger.«

»Kann ich nicht.«

»Sind Sie sicher???«

»Na ja.«

Ausgedehnter Blickwechsel, à la wer zuerst lacht, hat verloren.

»(genervt) Machen Sie das absichtlich?«

»(sehr genervt) Aber natürlich nicht, also so was!!!«

»Soll ich einen Arzt rufen?«

»Nein, nein, das geht vorbei.«

»Ja, aber, na ja, das Problem ist, daß ich weitere Termine habe. Hier können Sie nicht bleiben.«

»…«

»Versuchen Sie es noch mal.«

»Es geht nicht.«

»Was machen Sie für Geschichten!«

»Ich weiß es nicht, was soll ich Ihnen sagen? Vielleicht ein Arthroseanfall oder eine Schockreaktion.«

»Wenn ich Ihnen jetzt sage: Okay, ich verlege Sie – stehen Sie dann wieder auf?«

»Aber natürlich nicht. Für wen halten Sie mich eigentlich? Sehe ich so aus?«

»Nein, aber ich meine, wenn ich Sie wirklich verlege?«

»Erstens glaube ich Ihnen nicht – und außerdem bin ich nicht hier, um Barmherzigkeit von Ihnen zu fordern, ich bin gelähmt, verstehen Sie den Unterschied?«

»(Sich das Gesicht mit den eleganten Händen abwischend) Daß ausgerechnet mir das passieren muß. Mein Gott.«

»…«

»(Blick auf die Uhr) Hören Sie, ich werde Sie vorübergehend woanders hinbringen, mein Büro brauche ich nun wirklich für mich.«

Und schon schiebt er mich in den Flur, als säße ich in einem Rollstuhl, außer, daß ich nicht in einem Rollstuhl sitze und daß es für ihn einen gewaltigen Unterschied machen muß. Ich mache mich ganz schwer.

Leiden sollst du, mein Freund. Leiden.

★

»Wollen Sie jetzt einen Kaffee?«

»Ja, gerne. Das ist nett.«

»Sind Sie sicher, daß ich keinen Arzt rufen soll?«

»Nein, nein. Danke. Es geht bestimmt weg, wie es gekommen ist.«

»Sie sind zu verkrampft.«

»Ich weiß.«

Frau Sowieso hat nie einen leuchtendrosafarbenen Post-it-Sticker auf ihrem Telefon gehabt. Sie war neulich charmant zu mir, weil sie ein charmanter Mensch ist.

Heute wäre also noch nicht alles verloren.

Das stimmt. Man hat nicht so oft die Gelegenheit, eine junge Frau wie sie stundenlang anzuschauen.

Ich mag ihre Stimme.

Von Zeit zu Zeit hat sie mir zugewinkt, damit ich mich weniger allein fühle.

Und dann sind die Computer verstummt, die Anrufbeantworter wurden eingeschaltet, die Lampen gelöscht, und die Räume leerten sich.

Ich sah einen nach dem anderen gehen, und alle glaubten, ich hätte noch einen Termin. Von wegen.

Schließlich kam Blaubart aus seiner Höhle, in der er die schreibende Zunft zum Weinen bringt.

»Sie sind ja immer noch da!!!«

»...«

»Was soll ich bloß mit Ihnen machen?«

»Ich weiß es nicht.«

»Aber ich weiß es. Ich werde den Krankenwagen rufen oder die Feuerwehr, die werden Sie innerhalb von fünf Minuten hier rausholen! Sie haben doch wohl nicht die Absicht, hier zu übernachten?!«

»Nein, bitte, rufen Sie niemanden. Es wird sich einrenken, ich spüre es.«

»Sicher, aber ich muß hier abschließen, das werden Sie doch verstehen?«

»Bringen Sie mich auf die Straße.«

Aber natürlich hat nicht er mich nach unten gebracht. Er hat zwei Boten gerufen, die in der Nähe waren. Zwei große und hübsche Typen, tätowierte Lakaien für meine Sänfte.

Sie haben sich jeder eine Lehne geschnappt und mich vor dem Gebäude unten freundlich abgestellt.

Zu nett.

Mein ex-künftiger Verleger, jener zartfühlende Mann, der in Zukunft auf mich *zählt*, hat mich mit viel Tamtam verabschiedet.

Er ist gegangen und hat sich dabei mehrmals kopfschüttelnd umgedreht, wie um aus einem bösen Traum zu erwachen, nein, also wirklich, das war nicht zu glauben.

Wenigstens hatte er beim Abendessen etwas zu erzählen.

Seine Frau wird sich freuen. Er wird ihr heute nichts von der Verlagskrise vorjammern.

★

Zum ersten Mal an diesem Tag ging es mir gut.

Ich betrachtete die Kellner vom Restaurant gegenüber, die eifrig mit ihren Damasttischdecken beschäftigt waren, sie waren durchgestylt (wie meine Erzählungen, überlegte ich kichernd), vor allem der eine, auf den ich ein Auge geworfen hatte.

Hundert pro der französische *garçon de café*, der das Hormonsystem dicker Amerikanerinnen in Reeboks durcheinanderwirbelt.

Ich habe eine wunderbar wohlschmeckende Zigarette geraucht, langsam den Rauch ausgestoßen und dabei die Passanten beobachtet.

Das Glück schlechthin fast (wenn man mal von einigen Details absieht, wie beispielsweise der Existenz eines Parkscheinautomaten rechts von mir, der nach Hundepisse roch).

Wie lange ich so sitzen geblieben bin, um mein Debakel zu betrachten?

Ich weiß es nicht.

Im Restaurant herrschte Hochbetrieb, und man sah Paare, die auf der Terrasse saßen, lachten und Rosé tranken.

Ich konnte nicht umhin zu denken:

… in einem anderen Leben hätte mich mein Verleger vielleicht hierher zum Essen ausgeführt, »weil es so praktisch ist«, hätte mich zum Lachen gebracht und mir einen Wein angeboten, der deutlich besser wäre als dieser Côteaux de Provence, hätte mich gedrängt, diesen »für eine junge Frau Ihres Alters erstaunlich reifen« Roman zu Ende zu schreiben, mich dann am Arm gefaßt und zu einem Taxistand geleitet. Er hätte ein wenig mit mir geflirtet …

… in einem anderen Leben natürlich.

★

Nun gut, Marguerite, das ist nicht alles, und auf mich wartet noch Bügelwäsche.

Ich bin aufgesprungen, habe meine Jeans zurechtgezupft und bin auf eine wunderschöne Frau zugesteuert, die auf dem Sockel einer Statue von Auguste Comte saß.

Sehen Sie sie an.

Hübsch, sinnlich, apart, mit tadellosen Beinen und schmalen Fesseln, Stupsnase, gewölbter Stirn, kriegerischem und stolzem Gang.

Mit Schnüren und Tätowierungen übersät.

Die Lippen und Fingernägel schwarz bemalt.

Ein unglaubliches Mädchen.

Sie warf regelmäßig genervte Blicke in die angrenzende Straße. Ich glaube, ihr Freund hatte sich verspätet.

Ich habe ihr mein Manuskript hingehalten:

»Hier«, habe ich gesagt, »schenke ich Ihnen. Damit Ihnen die Zeit nicht zu lang wird.«

Ich glaube, sie hat sich bedankt, aber ich bin nicht sicher, denn sie war keine Französin! Betrübt über dieses Detail, hätte ich mein wunderbares Geschenk beinahe wieder an mich genommen und – doch wozu, habe ich mir gesagt und bin weggegangen, ich habe mich sogar fast gefreut.

Mein Manuskript befand sich von nun an in den Händen des schönsten Mädchens der Welt.

Das tröstete mich.

Ein bißchen.

Anna Gavalda
Zusammen ist man weniger allein
Roman
Aus dem Französischen von Ina Kronenberger
Band 17303

Philibert ist zwar ein historisches Genie, doch wenn er mit
Menschen spricht, gerät er ins Stottern. Camille, magersüchtig
und künstlerisch begabt, arbeitet in einer Putzkolonne, und
Franck schuftet als Koch in einem Feinschmeckerlokal. Er
liebt Frauen, Motorräder und seine Großmutter Paulette, die
keine Lust aufs Altersheim hat.

Vier grundverschiedene Menschen in einer verrückten Pariser
Wohngemeinschaft, die sich lieben, streiten und versuchen,
irgendwie zurecht zu kommen.

»Anna Gavalda erzählt so klug, burschikos und witzig,
dass die 550 Seiten viel zu schnell ausgelesen sind und man
noch lange nicht von diesem Buch lassen möchte.«
Brigitte

Fischer Taschenbuch Verlag

Anna Gavalda

Ich habe sie geliebt

Roman

Aus dem Französischen von Ina Kronenberger

Band 15803

Pierre und Chloé haben nichts gemeinsam. Chloé ist Anfang dreißig, hat zwei kleine Töchter und wurde gerade
von ihrem Mann verlassen. Pierre ist ihr Schwiegervater,
Mitte sechzig und ein unsensibler, arroganter Bourgeois. So
dachte sie zumindest – bis er sie und die Kinder mitnimmt
ins Ferienhaus der Familie. Bei Pasta und Rotwein unterhalten sich die beiden über die Liebe und das Leben. Chloé
entdeckt hinter der autoritären Maske einen aufmerksamen
Zuhörer und gewinnt einen Freund, der eine überraschen-
de Lebensbeichte ablegt.

»Ein Lichtstrahl am literarischen Himmel.«
Le Figaro

Fischer Taschenbuch Verlag

fi 15803 / 2

Audrey Niffenegger
Die Frau des Zeitreisenden
Roman
Aus dem Amerikanischen von Brigitte Jakobeit
Band 16390

»Eine der schönsten Liebesgeschichten des Jahrhunderts«
Die Welt

Clare ist Kunststudentin und eine Botticelli-Schönheit, Henry
ein verwegener und lebenshungriger Bibliothekar. Clare fällt
aus allen Himmeln, jedes Mal aufs Neue, wenn Henry vor ihr
steht. Denn Henry ist ein Zeitreisender, ohne jede Ankündi-
gung verstellt sich seine innere Uhr. Der großen Liebe beweg-
net man nur ein einziges Mal. Und dann immer wieder ...

» ›Die Frau des Zeitreisenden‹
ist eine Liebesgeschichte – und zwar die sehnsüchtigste,
die ich in diesem Jahr bisher gelesen habe.«
Angela Wittmann, Brigitte

Fischer Taschenbuch Verlag

fi 16390 / 1

Brigitte Giraud
Das Leben entzwei
Roman
Aus dem Französischen von Anne Braun
Band 15630

»Ich muss mich der Geschichte unserer Liebe
gewachsen zeigen, genau so wie dem Schmerz.«

Mit großer Eindringlichkeit erzählt Brigitte Giraud von einem Tod, der jäh in ihre Liebe einbricht. Eine Frau, Anfang
Vierzig, verliert ihren Mann bei einem Motorradunfall. Sie
erzählt von dem Moment an, da sie das Unvorstellbare erfährt, bis zum Ende der Trauerfeier. Eine Woche der Fassungslosigkeit und des Schmerzes, in der es dennoch zu leben
gilt, das Leben organisiert sein will. Gefühle, Gedanken, die
nicht in Worte zu fassen sind. Brigitte Giraud findet sie dennoch, Worte, die tief gehen und mitten ins Herz treffen.
»Das Leben entzwei« ist eine wahre Geschichte.

Fischer Taschenbuch Verlag

fi 15630 / 1

Catherine Guillebaud
Zwei Liebende
Roman
Aus dem Französischen von Anne Braun

Band 16008

Zwei Liebende in Paris. Die beiden treffen sich heimlich, in Hauseingängen und dunklen Hotels. Die Stadt versteckt sie. Sie lieben sich überall und ihre Liebe ist unbändig, kompromisslos. Alles könnte so einfach sein. Aber er hat eine Frau und eine Tochter, die er liebt. Auch sie hat eine Familie, woanders. Wie lange kann man ein Leben neben dem Leben führen?

»Ein Buch von unwiderstehlichem Sog.
Unmöglich, es wegzulegen.«
Le Figaro Littéraire

»Sorgfältig und nicht voyeuristisch,
einfühlsam und berührend.«
Die Welt

Fischer Taschenbuch Verlag

fi 16008 / 1

Catherine Guillebaud
Sie ist weg
Roman
Aus dem Französischen von Anne Braun
128 Seiten. Gebunden

Nichts ist verhängnisvoller als ein perfektes Leben.

Clarisse geht weg, weg aus ihrem behüteten Leben am Genfer See, weg von den Eltern. Sie will niemals wieder nach Hause und hofft gleichzeitig nichts mehr, als dass ihre Eltern sie endlich suchen.

»Man taucht in den Roman ein wie in Eiswasser,
man verlässt ihn mit geschärftem Sinn und
der Wirklichkeit ein Stück näher. Kunstvoll«
Le Figaro littéraire

»Man ist fasziniert
von der selten schönen Sprache.«
Brigitte

S. Fischer

fi 1-027820 / 1